ECHO Express 1

Jeannie McNeill
Steve Williams

www.heinemann.co.uk

✓ Free online support
✓ Useful weblinks
✓ 24 hour online ordering

01865 888058

Heinemann

Inspiring generations

Heinemann is an imprint of Pearson Education Limited, a company incorporated in England and Wales, having its registered office at Edinburgh Gate, Harlow, Essex, CM20 2JE. Registered company number: 872828

Heinemann is a registered trademark of Pearson Education Limited

First published 2004

12
12

British Library Cataloguing in Publication Data is available from the British Library on request.

ISBN: 978 0 435388 97 3

Copyright notice

Produced by Artistix

Original illustrations © Harcourt Education Limited, 2004–06–23
Illustrated by **Jane Smith**, **Andrew Hennessey**, **Benn Morris**, **The Organization** (Domanic Li), **Specs Art** (Pete Smith, Leo Brown), **Illustration** (Mark Watkinson, Willie Ryan)

Cover design by Wooden Ark Studio

Printed and bound in China(CTPS/12)

Cover photo © Imagestate

Acknowledgements

The authors would like to thank Herr Krüger, Frau Waage and all the staff and pupils of Ehrenberg-Gymnasium, Delitzsch, Wolfgang Marschner and all involved with the recording, Sue Chapple, Naomi Laredo, Jana Kohl and Marie O'Sullivan for their help in the making of this course.

Song lyrics by Jeannie McNeill and Steve Williams

Music composed and arranged by John Connor

Songs performed by Gertrude Thoma and William Ludvig

Recorded at Gun Turret Studios, Bromsgrove. Engineered by Pete O'Connor

Photographs were provided by **Alamy** p.19 (mountain bike, skateboard), p.51 (Beethoven), **Steve Benbow** p.38 (teenagers), p.40 (Manja, Anja), p.66 (shopping street), p.77 (teenage girl), p.87 (German boy, German Girl), **Trevor Clifford** p.19 (cd player), **Corbis** p.19 (in-line skates, snowboard), p.55 (teenage boy, teenage girl), p.50 (couple on beach), p.62 (canoeing, windsurfing, mountain biking, white-water rafting, swimming), p. 66 (tennis), p.70 (farmhouse, mountains, North German coastline, Rhineland village), p.78 (teenage girl), p.79 (teenage girl), p.80 (Bern, Grindelwald, Kiel, Mozart), p.111 (Quakenbrück), **Getty** p.9 (children), p.40 (Tanja), p.50 (cat), p.62 (rock climbing, sailing), p.86 (Berlin, Vienna), p.88 (swimming pool, Neuschwanstein), p.89 (U-Bahn train), p.119, **Powersearch** p.111 (Osnabrück), **Rex** p.51 (Michael Schumacher, Arnold Schwarzenegger, **Simpsoncrazy/Matt Groening** p.43, **Anton Thiel** p.30 (das Musische Gymnasium, Salzburg). All other photos are provided by **Martin Sookias** and Harcourt Education Limited.

Every effort has been made to contact copyright holders of material reproduced in this book. Any omissions will be rectified in subsequent printings if notice is given to the publishers.

Contents – Inhalt

1 Hallo!

2 Die Schule

3 Familie und Freunde

4 Freizeit

5 Mein Zuhause

6 Stadt und Land

1 Hallo!

1 Wie heißt du?

Introducing yourself
Saying how old you are

hören 1 **Hör zu. Wer spricht? (1–3)** *Listen. Who is speaking?*
Beispiel: ***1** Marie + Niklas*

Valentina **Hamit** **Niklas**
Lea **Alexander** **Marie**

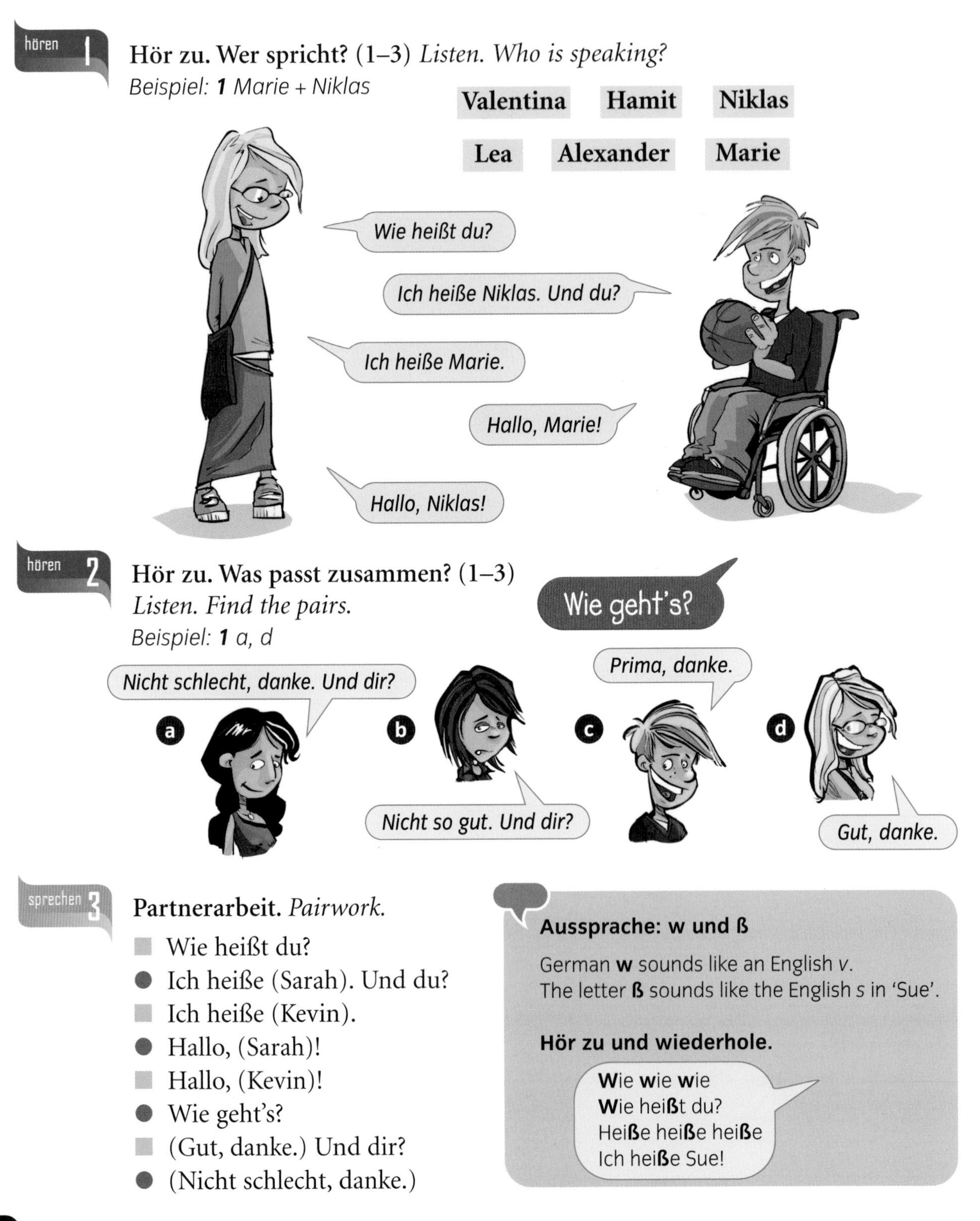

hören 2 **Hör zu. Was passt zusammen? (1–3)**
Listen. Find the pairs.
Beispiel: ***1** a, d*

sprechen 3 **Partnerarbeit.** *Pairwork.*

- ■ Wie heißt du?
- ● Ich heiße (Sarah). Und du?
- ■ Ich heiße (Kevin).
- ● Hallo, (Sarah)!
- ■ Hallo, (Kevin)!
- ● Wie geht's?
- ■ (Gut, danke.) Und dir?
- ● (Nicht schlecht, danke.)

Aussprache: w und ß

German **w** sounds like an English *v*.
The letter **ß** sounds like the English *s* in 'Sue'.

Hör zu und wiederhole.

Wie **w**ie **w**ie
Wie hei**ß**t du?
Hei**ß**e hei**ß**e hei**ß**e
Ich hei**ß**e Sue!

schreiben 4

Schreib einen Dialog. *Write a dialogue.*

Beispiel: Hallo, Peter!
Hallo, Stefanie! Wie geht's?

hören 5

Hör zu und wiederhole. *Listen and repeat.*

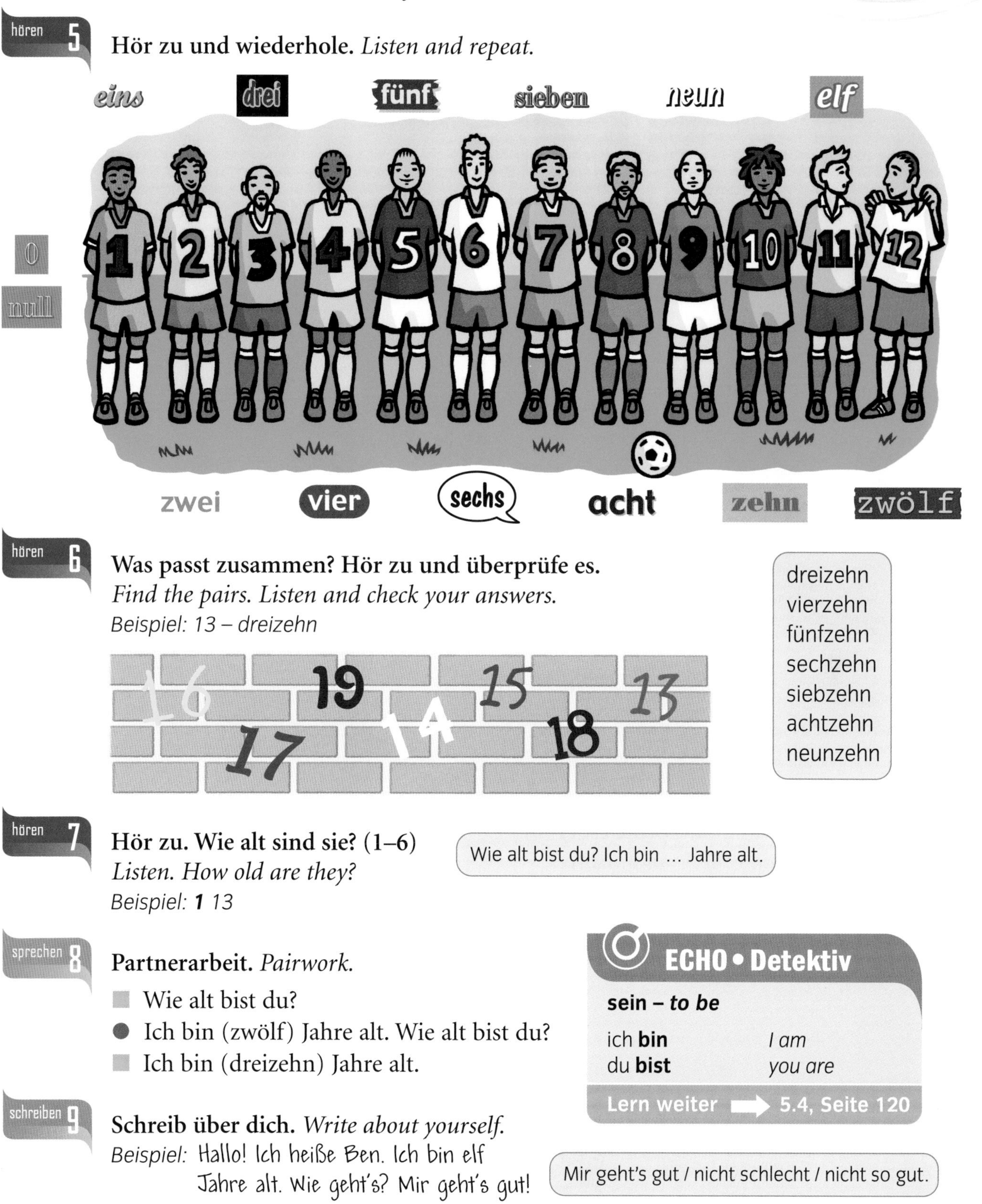

hören 6

Was passt zusammen? Hör zu und überprüfe es.
Find the pairs. Listen and check your answers.
Beispiel: 13 – dreizehn

dreizehn
vierzehn
fünfzehn
sechzehn
siebzehn
achtzehn
neunzehn

hören 7

Hör zu. Wie alt sind sie? (1–6)
Listen. How old are they?
Beispiel: ***1*** *13*

Wie alt bist du? Ich bin … Jahre alt.

sprechen 8

Partnerarbeit. *Pairwork.*

- Wie alt bist du?
- Ich bin (zwölf) Jahre alt. Wie alt bist du?
- Ich bin (dreizehn) Jahre alt.

ECHO • Detektiv

sein – *to be*

ich **bin**	*I am*
du **bist**	*you are*

Lern weiter ➡ 5.4, Seite 120

schreiben 9

Schreib über dich. *Write about yourself.*

Beispiel: Hallo! Ich heiße Ben. Ich bin elf Jahre alt. Wie geht's? Mir geht's gut!

Mir geht's gut / nicht schlecht / nicht so gut.

2 Ich wohne in Deutschland

Saying where you live
Understanding verbs with *ich, du, er* and *sie*

Rate mal: Wie heißt das Land? *Guess: What is the name of the country?*
Beispiel: ***1*** *Irland*

Das ist … Schottland Frankreich
Irland Deutschland England Wales
Österreich die Schweiz

Aussprache: sch / ch

sch sounds like the English *sh*
ch sounds like the Scottish *ch* in *loch*

Hör zu: „sch“ oder „ch“? (1–6)
Listen: 'sch' or 'ch'?

hören **2**

Hör zu und überprüfe es. (1–8)
Listen and check your answers.

hören **3**

Hör zu. Wo wohnen sie? (1–8)
Listen. Where do they live?
Beispiel: ***1*** *Irland*

Wo wohnst du?
Ich wohne in …
England / Wales / Schottland / Irland / Frankreich / Deutschland / Österreich / der Schweiz.

sprechen **4**

Partnerarbeit: Wer ist das?
Pairwork: Who is it?

- Wo wohnst du?
- Ich wohne in (Deutschland).
- Du bist (1)!

Hör zu. Wie ist es richtig? (1–3)
Listen. Which answer is it?
Beispiel: ***1*** *a, d, …*

A: Wie heißt er / sie?
B: Er / Sie heißt a Peter b Alex c Laura.

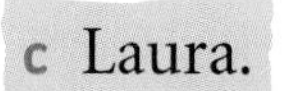

A: Wo wohnt er / sie?
B: Er / Sie wohnt in d Deutschland e Österreich f der Schweiz.
A: Wie alt ist er /sie?
B: Er / Sie ist g zwölf h dreizehn i vierzehn Jahre alt.

lesen 6

Lies die Texte und füll die Tabelle aus.
Read the texts and complete the table.

Heißt …	… Jahre alt	Wohnt in …
1 Birgit		

ECHO • Detektiv

ich wohn**e** — *I live*
du wohn**st** — *you live*
er / sie wohn**t** — *he / she lives*

ich **bin** — *I am*
du **bist** — *you are*
er / sie **ist** — *he / she is*

Lern weiter ➡ 5.2, Seite 118
5.4, Seite 120

1

Hallo! Ich heiße Birgit. Ich bin zwölf Jahre alt und wohne in Leipzig. Das ist in Deutschland. Wo wohnst du?

2

Guten Tag. Ich heiße Michel und ich wohne in Lille, in Frankreich. Ich bin vierzehn Jahre alt. Und du? Wie heißt du?

3

Hallo! Wie geht's? Ich heiße Sam und wohne in Liverpool. Das ist in England. Ich bin zehn Jahre alt. Und du? Wie alt bist du?

schreiben 7

Schreib Sätze. *Write sentences.*
Beispiel: ***1*** Ich heiße Jean-Luc Dupont. Ich bin … Jahre alt. Ich wohne in …

3 Das Alphabet

Spelling in German
Using the definite article (*der, die, das*) to say 'the'

hören 1

Hör zu und lies. *Listen and read.*

A ah
B bay
C tsay
D day
E ay
F eff
G gay
H ha
I eee
J yacht
K car
L ell
M em
N en
O oh
P pay
Q coo
R air
S ess
T tay
U ooh
V fow
W vey
X ix
Y oopsilon
Z tsett

ä ö ü – the two dots are called an 'Umlaut'.
ß – called an 'es tsett', this sounds the same as **ss**.

hören 2

Hör zu und sing den Alphabet-Rap mit.
Listen and sing the alphabet rap.

A ist ...
B ist ...

der Apfel
die Banane
der Computer
der Detektiv
das Eis
der Fußball
die Gitarre
das Haus
die Idee
der Joghurt
die Kamera
die Lampe
die Milch
die Nummer
die Orange
die Party
das Quiz
die Ratte
die Schule
das T-Shirt
die Uniform
der Vater
die Wespe
das Xylophon
die Yacht
der Zoo

sprechen 3

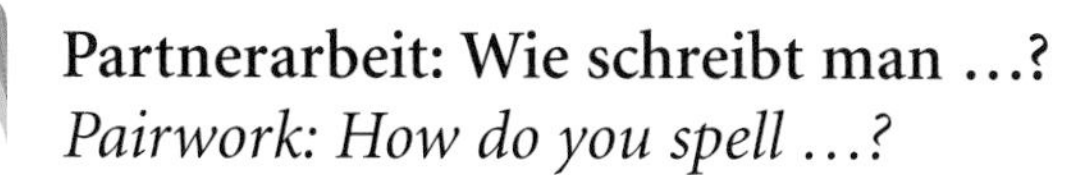

Partnerarbeit: Wie schreibt man …?
Pairwork: How do you spell …?

- ■ Wie schreibt man „Joghurt“?
- ● J-O-G-H-U-R-T. Wie schreibt man …?

Wie schreibt man (Apfel)?

hören 4

Hör zu. Was passt zusammen? (1–9) *Listen. Find the pairs.*
Beispiel: ***1*** *b*

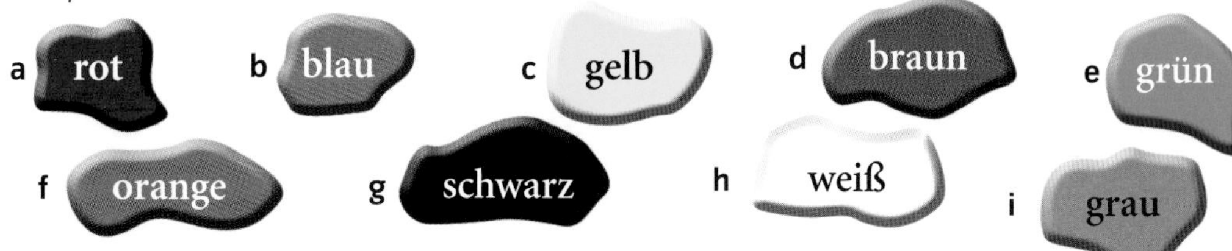

lesen 5

Lies die Sätze. Welcher Fußball-Fan ist das?
Read the sentences. Which football fan is it?
Beispiel: ***1*** *Frankfurt*

1. Die Kappe ist schwarz.
2. Der Schal ist grün und orange.
3. Das T-Shirt ist rot und schwarz.
4. Das T-Shirt ist blau.
5. Die Kappe ist grün und weiß.
6. Der Schal ist blau und weiß.

ECHO • Detektiv

der, die, das

There are three words for 'the' in German: **der**, **die** and **das**.

masculine:	**der** Schal
feminine:	**die** Kappe
neuter:	**das** T-Shirt

Lern weiter → 2.1, Seite 113

schreiben 6

Beschreib den Freiburg-Fan.
Describe the Freiburg fan.
Beispiel: Das T-Shirt ist …

Mini-Test • Check that you can

1. Say hello and introduce yourself
2. Count to 19
3. Ask someone where they live
4. Say where you live
5. Spell your name in German
6. Say what colour three things are, using *der*, *die* and *das*

4 Hast du einen Bleistift?

Describing what you have in your school bag
Using the indefinite article (*ein, eine*) to say 'a'

hören 1

Hör zu. Was passt zusammen? (1–12) *Listen. Find the pairs.*
Beispiel: ***1*** *b*

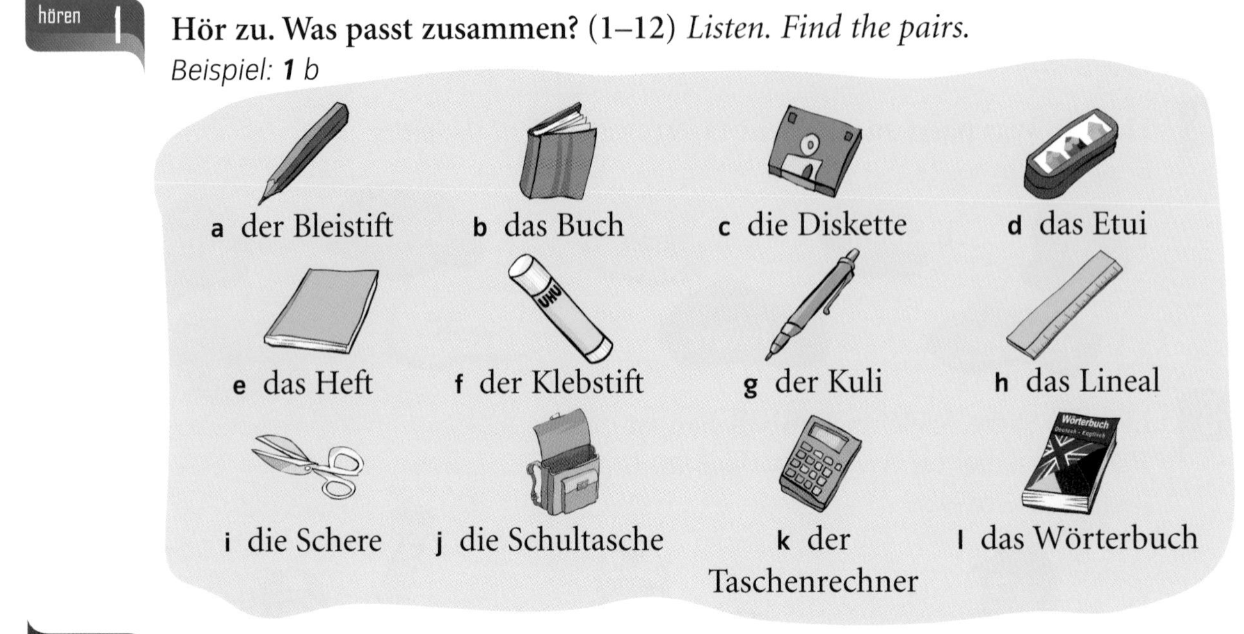

lesen 2

Schreib die Sätze ab und füll die Lücken aus. Welches Bild ist das?
Write out the sentences and fill in the gaps. Which picture is it?
Beispiel: ***1*** Das ist eine Schere. – b

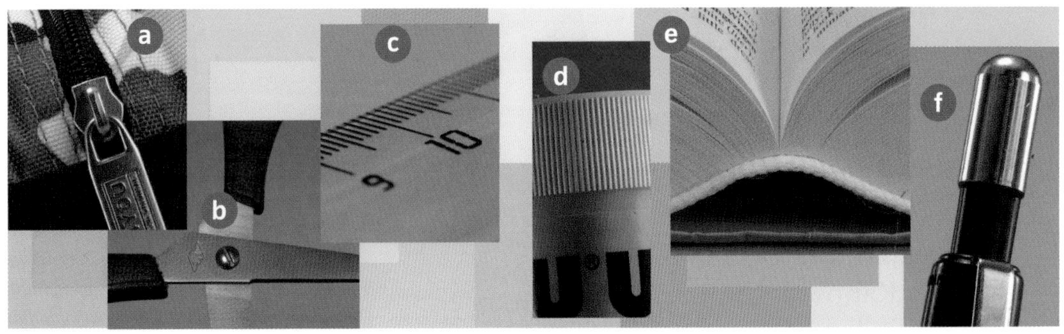

1 Das ist … Schere.
2 Das ist … Kuli.
3 Das ist … Lineal.
4 Das ist … Klebstift.
5 Das ist … Wörterbuch.
6 Das ist … Etui.

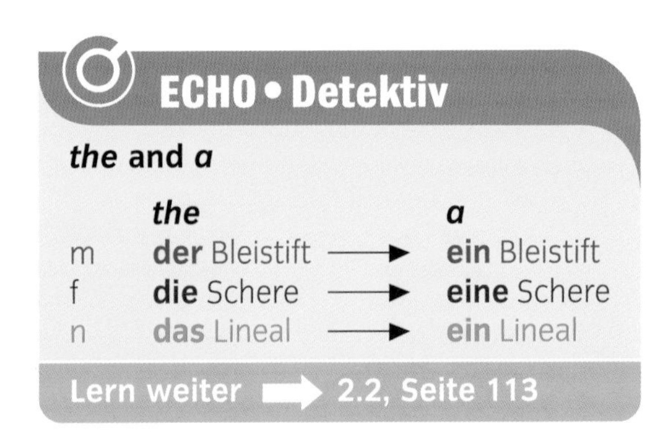

ECHO • Detektiv

the* and *a

	the		*a*
m	**der** Bleistift	→	**ein** Bleistift
f	**die** Schere	→	**eine** Schere
n	**das** Lineal	→	**ein** Lineal

Lern weiter ➡ 2.2, Seite 113

sprechen 3

Partnerarbeit: Was ist das?
Pairwork: What is that?
(Use the pictures in Exercise 1.)

■ Was ist (a)?
● Das ist (ein Bleistift).
■ Richtig!

hören 4

Hör zu und lies. Was braucht Peter?
Listen and read. What does Peter need?
Beispiel: Pencil, ...

Peter: Julia, hast du einen Bleistift für mich?
Julia: Ja, ich habe einen Bleistift.
Peter: Danke ... Hast du eine Schere für mich?
Julia: Ja, ich habe eine Schere.
Peter: Danke ... Hast du ein Lineal für mich?
Julia: Nein!

ECHO • Detektiv

haben – *to have*

ich hab**e**	*I have*
du **hast**	*you have*

Lern weiter ➡ 5.4, Seite 120

ECHO • Detektiv

Ich habe einen ..., eine ..., ein ...
After phrases like **ich habe**, the indefinite article changes slightly:

m	Ich habe **einen** Bleistift.
f	Ich habe **eine** Schere.
n	Ich habe **ein** Lineal.

Look at **ECHO-Detektiv** on page 12.
Can you spot the difference in the articles?

Lern weiter ➡ 2.4, Seite 114

sprechen 5

Partnerarbeit.

■ Hast du (einen Kuli) für mich?
● Ja, ich habe (einen Kuli). Hast du ...?

Hast du	einen Bleistift / Klebstift / Kuli / Taschenrechner	für mich?
	eine Diskette / Schere / Schultasche	
Ich habe	ein Buch / Etui / Heft / Lineal / Wörterbuch	

lesen 6

Lies den Text. Was ist nicht im Bild?
Read the text. What is not in the picture?
Beispiel: ein Heft, ...

In meiner Schultasche habe ich ein Heft, einen Kuli, ein Lineal, eine Schere und ein Wörterbuch. Und was noch? Ach ja – ich habe einen Fußball, einen Taschenrechner, eine Diskette und ein Etui. Ist das alles? Nein! Ich habe auch eine Banane!

schreiben 7

Was hast du in der Schultasche? *What have you got in your schoolbag?*
Beispiel: Ich habe eine Diskette ...

5 Wann hast du Geburtstag?

Saying when your birthday is
Using different question words

hören 1

Hör zu und wiederhole. *Listen and repeat.*

20	zwanzig	26	sechsundzwanzig	50	fünfzig
21	einundzwanzig	27	siebenundzwanzig	60	sechzig
22	zweiundzwanzig	28	achtundzwanzig	70	siebzig
23	dreiundzwanzig	29	neunundzwanzig	80	achtzig
24	vierundzwanzig	30	dreißig	90	neunzig
25	fünfundzwanzig	40	vierzig		

hören 2

Hör zu. Welche Zahl ist das? *Listen. Which number is it?*

Beispiel: ***a*** *21*

a	21	22	f	69	65
b	32	23	g	89	98
c	43	34	h	90	19
d	74	47	i	15	50
e	53	35	j	80	18

Aussprache: z

z = *ts*

Hör zu und wiederhole dreimal.

Zehn Zebras im Zoo!

sprechen 3

Partnerarbeit: Üb die Zahlen.
Pairwork: Practise the numbers.

■ Fünfundfünfzig.
● *(Points to 55)* Einunddreißig.
■ *(Points to 31)* …

hören 4

Schreib die Monate in der richtigen Reihenfolge auf. Hör zu und überprüfe es.

Write the months in the correct order. Listen and check your answers.

Beispiel: Januar, ...

April **August** **Dezember** **Februar** **Januar** **Juli**

Juni **Mai** **März** **November** **Oktober** **September**

hören 5

Hör zu. Wann haben sie Geburtstag? (1–8)

Beispiel: ***1*** *am 3. Dezember*

Ich habe am	**ersten** / zwei**ten** / **dritten** / vier**ten** / fünf**ten** / sechs**ten**/ **siebten** / ach**ten** ... neunzehn**ten** / zwanzig**sten** / einundzwanzig**sten** ... dreißig**sten** / einunddreißig**sten**	Januar / Februar / März / April / Mai / Juni / Juli / August / September / Oktober / November / Dezember	Geburtstag.

sprechen 6

Umfrage. *Survey.*

- (Mark), wann hast du Geburtstag?
- Ich habe am (ersten Dezember) Geburtstag.
- Wie alt bist du?
- Ich bin (zwölf) Jahre alt.

ECHO • Detektiv

Question words

Wie?	*How?*
Wo?	*Where?*
Wann?	*When?*
Was?	*What?*

Lern weiter ➡ 7.2, Seite 124

schreiben 7

Beantworte die Fragen (a) für Maren und (b) für David.

Beispiel: ***(a) 1*** Ich heiße Maren Schmidt.

1 Wie heißt du?
2 Wo wohnst du?
3 Wann hast du Geburtstag?
4 Wie alt bist du?
5 Was hast du?

Maren Schmidt hat am 5. Juni Geburtstag. Sie ist 13 Jahre alt und sie wohnt in Frankfurt, in Deutschland. Sie hat eine Gitarre, ein T-Shirt und einen Computer.

David Krombacher ist 14 Jahre alt und er hat am 23. März Geburtstag. Er wohnt in Salzburg, in Österreich. Er hat ein Snowboard, eine Kamera und einen Fußball.

Beantworte die Fragen für dich.

Answer the questions for yourself. (See exercise 7.)

Beispiel: ***1*** Ich heiße ...

Lernzieltest

Check that you can:

1	● Ask someone's name and give your own	*Wie heißt du? Ich heiße Jamie.*
	● Ask how a friend is and say how you are	*Wie geht's? Gut, danke. Und dir?*
	● Count to 19	*eins, zwei, drei …*
	● Ask how old someone is	*Wie alt bist du?*
	● Give your age	*Ich bin dreizehn Jahre alt.*
	Ⓖ Use the verb *wohnen* to say where you live and ask someone where they live	*Ich wohne in Irland.* *Wo wohnst du?*
2	● Name five countries in Europe	*Deutschland, Österreich, England, Schottland, Wales, …*
	● Ask someone where they live	*Wo wohnst du?*
	● Say where you live	*Ich wohne in England.*
	Ⓖ Use the correct forms of the verb *sein* with *ich, du, er* and *sie*	*ich bin … du bist … er/sie ist …*
3	● Ask and say how words are spelled	*Wie schreibt man „Apfel"? A-P-F-E-L.*
	Ⓖ Understand when to use *der, die* and *das*	*der Schal, die Kappe, das T-Shirt*
	● Say what colour things are	*Das Buch ist rot.*
4	● Name things in your school bag	*der Bleistift, die Diskette, das Buch*
	Ⓖ Understand when to use *einen, eine* and *ein*	*Ich habe einen Bleistift, eine Diskette, ein Lineal.*
	Ⓖ Ask for something and respond using the verb *haben*	*Hast du einen Bleistift für mich? Ja, ich habe einen Bleistift.*
5	● Count from 20 to 99	*einundzwanzig, zweiundzwanzig, … neunundneunzig*
	● Ask when someone's birthday is and say when yours is	*Wann hast du Geburtstag? Ich habe am neunten März Geburtstag.*

Wiederholung

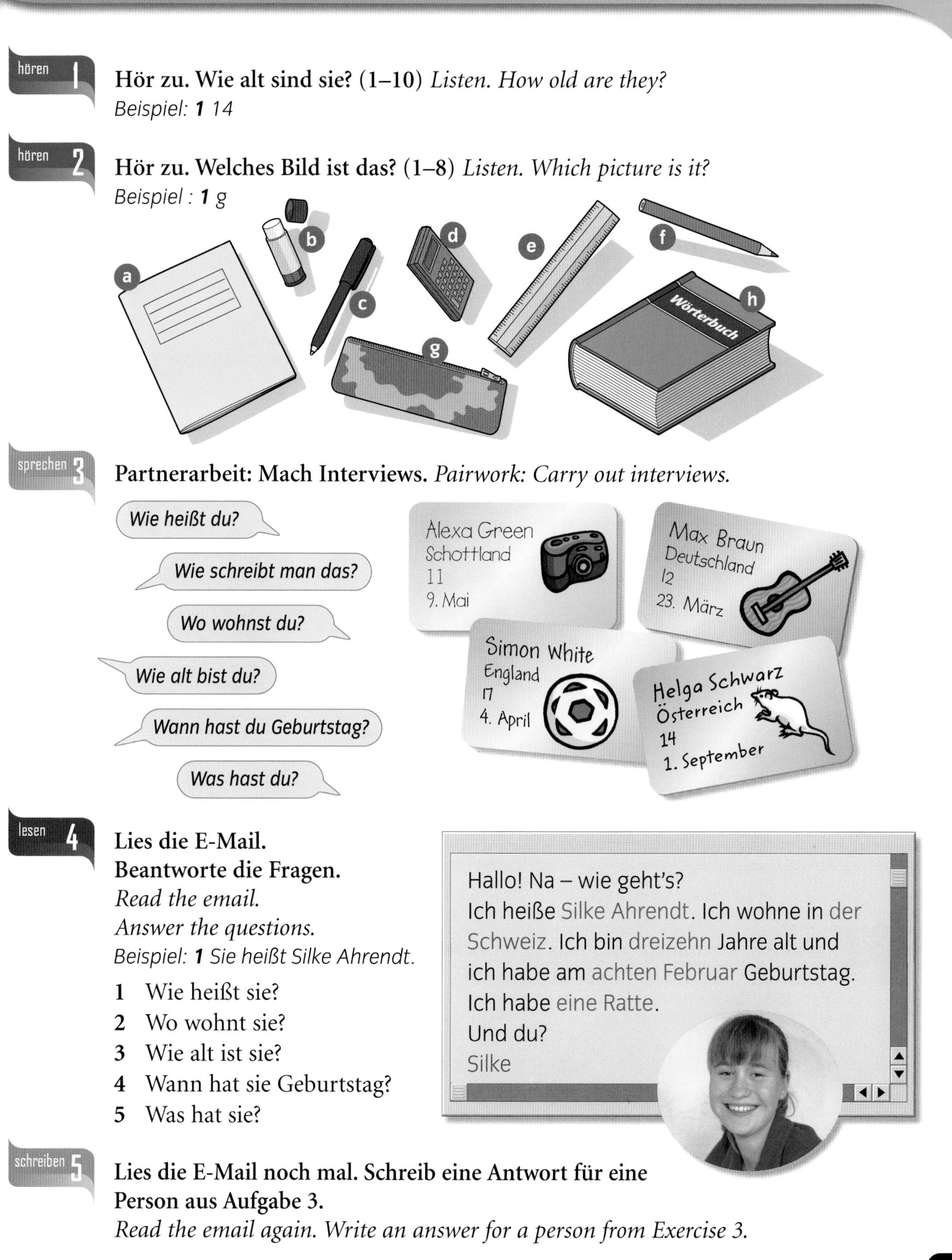

hören 1 **Hör zu. Wie alt sind sie? (1–10)** *Listen. How old are they?*

Beispiel: ***1*** *14*

hören 2 **Hör zu. Welches Bild ist das? (1–8)** *Listen. Which picture is it?*

Beispiel : ***1*** *g*

sprechen 3 **Partnerarbeit: Mach Interviews.** *Pairwork: Carry out interviews.*

Wie heißt du?

Wie schreibt man das?

Wo wohnst du?

Wie alt bist du?

Wann hast du Geburtstag?

Was hast du?

lesen 4 **Lies die E-Mail. Beantworte die Fragen.**

Read the email. Answer the questions.

Beispiel: ***1*** *Sie heißt Silke Ahrendt.*

1 Wie heißt sie?
2 Wo wohnt sie?
3 Wie alt ist sie?
4 Wann hat sie Geburtstag?
5 Was hat sie?

Hallo! Na – wie geht's?
Ich heiße Silke Ahrendt. Ich wohne in der Schweiz. Ich bin dreizehn Jahre alt und ich habe am achten Februar Geburtstag.
Ich habe eine Ratte.
Und du?
Silke

schreiben 5 **Lies die E-Mail noch mal. Schreib eine Antwort für eine Person aus Aufgabe 3.**

Read the email again. Write an answer for a person from Exercise 3.

Was kaufst du?

hören **1**

Hör zu und lies.

1 Ich habe dreißig Euro. Was brauche ich für die Schule? ... Ich brauche eine Schere, einen Klebstift und ein Wörterbuch.

2 Die Schere kostet sieben Euro. Der Klebstift kostet drei Euro. Das macht zehn Euro.

3 Das Wörterbuch kostet achtzehn Euro. Das macht achtundzwanzig Euro. Ich habe dreißig Euro.

4 Die neue CD von „Rammstein"! Zwanzig Euro!

5 Das Wörterbuch oder die CD? ... Ich habe eine Idee!

6 Vati, hast du zwanzig Euro für mich? Ich brauche ein Wörterbuch.

Für die Schule? Ja, natürlich!

brauchen = *to need*
für die Schule = *for school*
kosten = *to cost*
das macht = *that comes to*
von = *by*
„Rammstein" = *a German band*
oder = *or*
Vati = *Dad*
natürlich = *of course*

lesen **2**

Lies den Text noch mal. Was passt zusammen?

Read the text again. Find the pairs.

Beispiel: ***1** b*

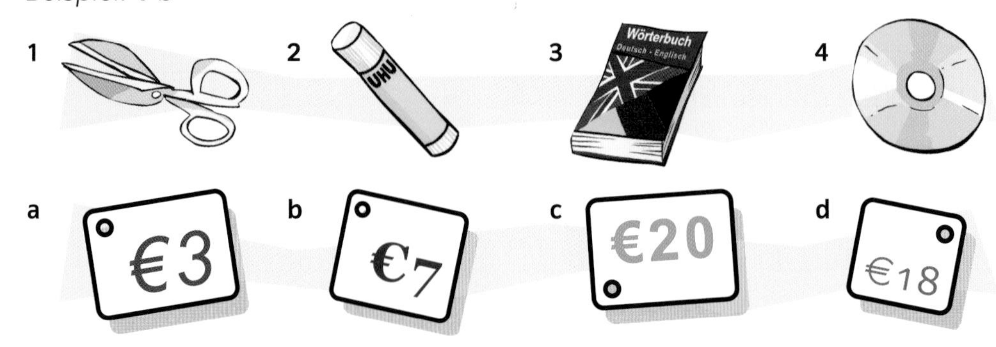

Hör zu. Was kaufen sie? Was macht das? (1–5)
Listen. What do they buy? How much is that?
Beispiel: **1** *Snowboard + Handy = fünfundachtzig Euro*

fast = *almost*
neu = *new*
gebraucht = *used*

sprechen 4

Partnerarbeit: Was kaufst du? Wähle zwei Sachen aus.
Pairwork: What will you buy? Choose two things.

- ■ Kaufst du (ein Snowboard)?
- ● Nein.
- ■ Kaufst du (einen CD-Spieler)?
- ● Ja. Kaufst du (ein Mountainbike)?

schreiben 5

Was kaufst du? Schreib Sätze. *What will you buy? Write sentences.*
Beispiel: Ich kaufe ... und ... . Das macht ... Euro.

Kaufst du ... ?		
Ich kaufe	einen	CD-Spieler.
	ein	Handy / Mountainbike / Snowboard / Skateboard.
	eine	Kamera.
		Inline-Skates.
Das macht ...		

Hallo!	***Meeting and greeting***
Wie heißt du?	*What's your name?*
Ich heiße … Und du?	*My name's … What about you?*
Hallo!	*Hi!*
Wie geht's?	*How are you?*
Gut, danke. Und dir?	*Fine, thanks. And you?*
Nicht schlecht, danke.	*Not bad, thanks.*
Nicht so gut.	*Not so good.*

Die Zahlen 0–19	***Numbers 0–19***
null	*0*
eins	*1*
zwei	*2*
drei	*3*
vier	*4*
fünf	*5*
sechs	*6*
sieben	*7*
acht	*8*
neun	*9*
zehn	*10*
elf	*11*
zwölf	*12*
dreizehn	*13*
vierzehn	*14*
fünfzehn	*15*
sechzehn	*16*
siebzehn	*17*
achtzehn	*18*
neunzehn	*19*
Wie alt bist du?	*How old are you?*
Ich bin … Jahre alt.	*I'm … (years old).*
Er / Sie ist … Jahre alt.	*He / She is … (years old).*

Länder	***Countries***
Wo wohnst du?	*Where do you live?*
Ich wohne in ...	*I live in …*
Er / Sie wohnt in ...	*He / She lives in …*
England.	*England.*
Schottland.	*Scotland.*
Wales.	*Wales.*
Irland.	*Ireland.*
Nordirland.	*Northern Ireland.*
Deutschland.	*Germany.*
Frankreich.	*France.*
Österreich.	*Austria.*
der Schweiz.	*Switzerland.*

Das Alphabet	***The alphabet***
Wie schreibt man „Apfel“?	*How do you spell 'apple'?*
„Apfel“ schreibt man A-P-F-E-L.	*You spell 'apple' A-P-P-L-E.*

Farben	***Colours***
Der Apfel ist (rot).	*The apple is (red).*
Die Uniform ist (blau).	*The uniform is (blue).*
Das T-Shirt ist (weiß).	*The T-shirt is (white).*
rot	*red*
blau	*blue*
gelb	*yellow*
braun	*brown*
grün	*green*
orange	*orange*
schwarz	*black*
weiß	*white*
grau	*grey*

Schulsachen	***School objects***
Was ist das?	*What's that?*
Das ist (ein Bleistift).	*It's (a pencil).*
ein Klebstift	*a gluestick*
ein Kuli	*a pen*
ein Taschenrechner	*a calculator*
eine Diskette	*a floppy disk*
eine Schere	*a pair of scissors*
eine Schultasche	*a schoolbag*
ein Buch	*a book*
ein Etui	*a pencil case*
ein Heft	*an exercise book*
ein Lineal	*a ruler*
ein Wörterbuch	*a dictionary*
Hast du …?	*Have you got …?*
Ich habe einen Kuli.	*I've got a pen.*
Ja. / Nein.	*Yes. / No.*

Die Zahlen 20–99	***Numbers 20–99***
zwanzig	*20*
einundzwanzig	*21*
zweiundzwanzig	*22*
dreiundzwanzig	*23*
vierundzwanzig	*24*
fünfundzwanzig	*25*
sechsundzwanzig	*26*
siebenundzwanzig	*27*
achtundzwanzig	*28*
neunundzwanzig	*29*
dreißig	*30*
vierzig	*40*
fünfzig	*50*
sechzig	*60*
siebzig	*70*
achtzig	*80*
neunzig	*90*

Die Monate	***The months***
Januar	*January*
Februar	*February*
März	*March*
April	*April*
Mai	*May*
Juni	*June*
Juli	*July*
August	*August*
September	*September*
Oktober	*October*
November	*November*
Dezember	*December*

Geburtstage	***Birthdays***
Wann hast du Geburtstag?	*When's your birthday?*
Ich habe am … Juni Geburtstag.	*My birthday's on the … of June.*
ersten	*first*
zweiten	*second*
dritten	*third*
vierten	*fourth*
fünften	*fifth*
sechsten	*sixth*
siebten	*seventh*
achten	*eighth*
neunten	*ninth*
zehnten	*tenth*
elften	*eleventh*
zwölften	*twelfth*
dreizehnten	*thirteenth*
vierzehnten	*fourteenth*
fünfzehnten	*fifteenth*
sechzehnten	*sixteenth*
siebzehnten	*seventeenth*
achtzehnten	*eighteenth*
neunzehnten	*nineteenth*
zwanzigsten	*twentieth*
einundzwanzigsten	*twenty-first*
zweiundzwanzigsten	*twenty-second*
dreiundzwanzigsten	*twenty-third*
vierundzwanzigsten	*twenty-fourth*
fünfundzwanzigsten	*twenty-fifth*
sechsundzwanzigsten	*twenty-sixth*
siebenundzwanzigsten	*twenty-seventh*
achtundzwanzigsten	*twenty-eighth*
neunundzwanzigsten	*twenty-ninth*
dreißigsten	*thirtieth*
einunddreißigsten	*thirty-first*

What does learning vocabulary mean?

It means …

- learning what the German word means in English
- learning to spell the word
- learning to say the word
- if it's a noun, learning whether it goes with *der*, *die* or *das*

Strategie 1

Look – Say – Cover – Write – Check

You can use these five simple steps to help you to learn any word:

1 Look Look at the word carefully.
2 Say Say the word out loud.
3 Cover Cover the word with a piece of paper.
4 Write See if you can write the word from memory.
5 Check Check that you've written the word correctly. If not, do steps 1–5 again.

1 Was ist dein Lieblingsfach?

Giving your opinion about school subjects
Using *und* and *aber* to make longer sentences

lesen 1

Wie heißt das auf Englisch? *What is it called in English?*

1 Deutsch
5 Englisch
9 Französisch
13 Religion
2 Informatik
6 Mathe
10 Naturwissenschaften
3 Werken
7 Kunst
11 Musik
14 Theater
4 Erdkunde
8 Geschichte
12 Sport

hören 2

Hör zu. Welches Fach ist das? (1–14)
Beispiel: ***1*** *Musik*

lesen 3

Wer sagt das? *Who says that?*
Beispiel: ***1*** *Hamit*

Was ist dein Lieblingsfach?

1 *Mein Lieblingsfach ist Sport.*

2 *Mein Lieblingsfach ist Informatik.*

3 *Mein Lieblingsfach ist Musik.*

4 *Mein Lieblingsfach ist Deutsch.*

5 *Mein Lieblingsfach ist Theater.*

6 *Mein Lieblingsfach ist Kunst.*

Valentina
Hamit
Lea
Niklas
Alexander
Marie

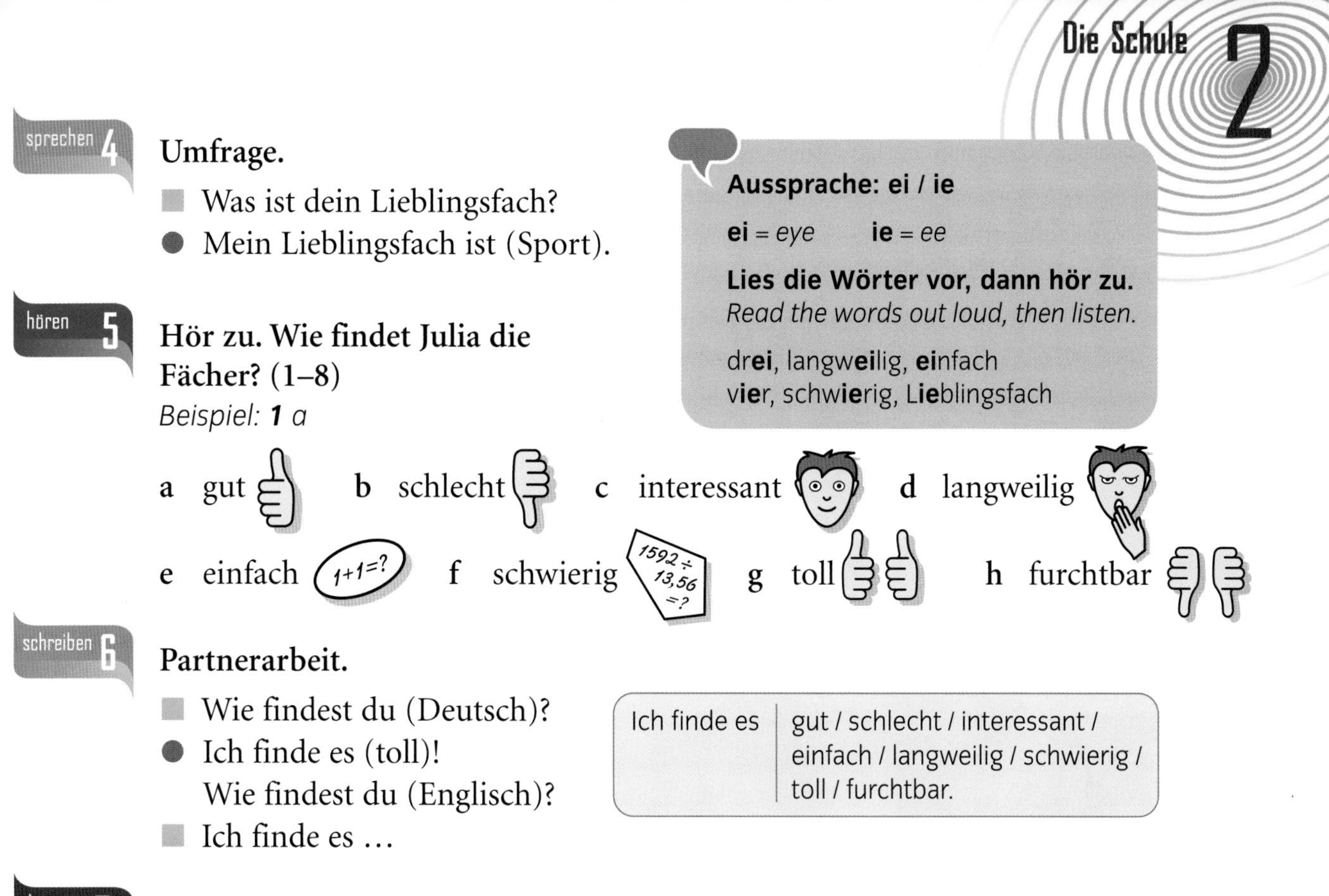

sprechen 4

Umfrage.

- Was ist dein Lieblingsfach?
- Mein Lieblingsfach ist (Sport).

Aussprache: ei / ie

ei = *eye* **ie** = *ee*

Lies die Wörter vor, dann hör zu.
Read the words out loud, then listen.

dr**ei**, langw**ei**lig, **ei**nfach
v**ie**r, schw**ie**rig, L**ie**blingsfach

hören 5

Hör zu. Wie findet Julia die Fächer? (1–8)

Beispiel: ***1** a*

a gut **b** schlecht **c** interessant **d** langweilig

e einfach **f** schwierig **g** toll **h** furchtbar

schreiben 6

Partnerarbeit.

- Wie findest du (Deutsch)?
- Ich finde es (toll)!
  Wie findest du (Englisch)?
- Ich finde es …

Ich finde es	gut / schlecht / interessant / einfach / langweilig / schwierig / toll / furchtbar.

lesen 7

Lies Viktors E-Mail. Mach auf Englisch Notizen über die Fächer.
Read Viktor's email. Make notes in English about the subjects.
Beispiel: science – difficult

Hallo! Wie geht's? Mir geht's gut.

Ich habe meinen neuen Stundenplan. Heute ist Montag – furchtbar! Ich habe Naturwissenschaften, Geschichte, Mathe, Englisch und Kunst.

Ich finde Naturwissenschaften schwierig und Geschichte schlecht! Ich finde Mathe einfach, aber langweilig. Herr Kuhmann, der Lehrer, ist super langweilig!

Na ja …, aber ich finde Englisch interessant, und Kunst – das ist toll! Und du? Hast du deinen neuen Stundenplan?

Tschüs,
Viktor

You can use **aber** (*but*) or **und** (*and*) to make longer sentences:

Ich finde Deutsch einfach, **aber** langweilig.
Ich finde Geschichte gut **und** interessant.

schreiben 8

Schreib Sätze. *Write sentences.*
Beispiel: Ich finde Erdkunde einfach, aber langweilig.

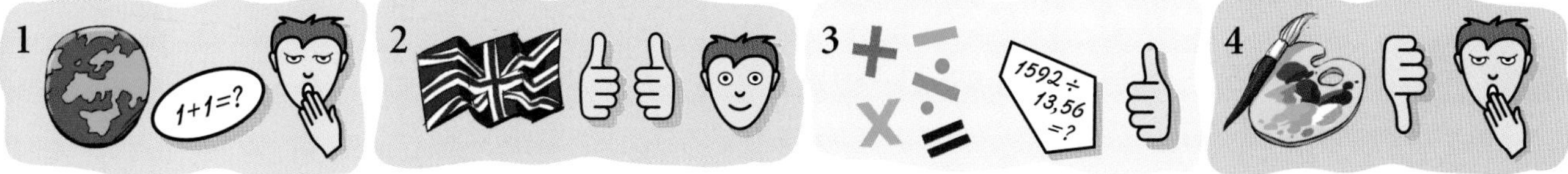

2 Wie viel Uhr ist es?

Talking about the school timetable
Telling the time

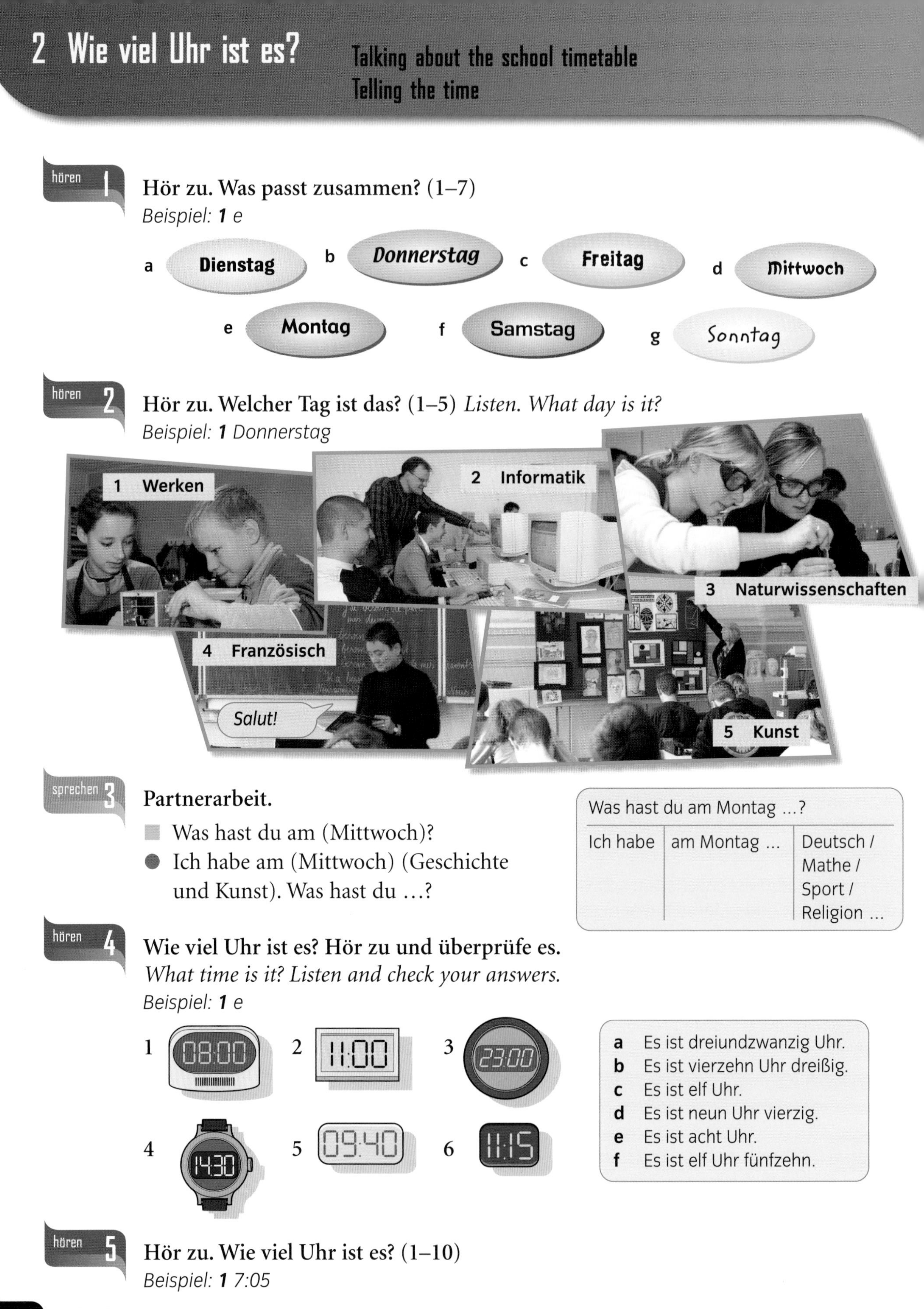

hören 1 **Hör zu. Was passt zusammen? (1–7)**
Beispiel: ***1*** *e*

a Dienstag b Donnerstag c Freitag d Mittwoch
e Montag f Samstag g Sonntag

hören 2 **Hör zu. Welcher Tag ist das? (1–5)** *Listen. What day is it?*
Beispiel: ***1*** *Donnerstag*

sprechen 3 **Partnerarbeit.**

- Was hast du am (Mittwoch)?
- Ich habe am (Mittwoch) (Geschichte und Kunst). Was hast du …?

Was hast du am Montag …?		
Ich habe	am Montag …	Deutsch / Mathe / Sport / Religion …

hören 4 **Wie viel Uhr ist es? Hör zu und überprüfe es.**
What time is it? Listen and check your answers.
Beispiel: ***1*** *e*

a Es ist dreiundzwanzig Uhr.
b Es ist vierzehn Uhr dreißig.
c Es ist elf Uhr.
d Es ist neun Uhr vierzig.
e Es ist acht Uhr.
f Es ist elf Uhr fünfzehn.

hören 5 **Hör zu. Wie viel Uhr ist es? (1–10)**
Beispiel: ***1*** *7:05*

sprechen 6

Partnerarbeit.

- ■ Wie viel Uhr ist es?
- ● Es ist (acht) Uhr (zwanzig).
- ■ (*Writes: 8:20.*)
- ● Richtig! Wie viel Uhr ist es?

Aussprache: w / v

A German **w** sounds like an English *v*.
A German **v** sounds like an English *f*.

Hör zu und wiederhole dreimal.
Listen and repeat three times.

Wie viel Uhr ist es, Volker?

Es ist vier Uhr vierzig, Wilfried.

hören 7

Hör zu und lies. Was hat Viktor heute?

Viktor: Heute habe ich Kunst …
Ach … Julia! Wann beginnt Kunst?
Julia: Um zehn Uhr fünfundvierzig.
Viktor: O.K. … Wann endet Kunst?
Julia: Um elf Uhr dreißig.
Viktor: Hmm … Und wann beginnt Mathe?
Julia: Um zehn Uhr.
Viktor: O nein!
Julia: Was?
Viktor: Es ist zehn Uhr fünf!

Wann beginnt …?
Wann endet …?
Um … Uhr …

lesen 8

Lies noch mal. Was ist nicht im Dialog?

Read again. What is not in the dialogue?

ECHO • Detektiv

haben – *to have*

ich	hab**e**	*I*	*have*
du	**hast**	*you*	*have*
er / sie	**hat**	*he / she*	*has*

Lern weiter ➡ 5.4, Seite 120

lesen 9

Lies Julias Stundenplan. Korrigiere die Sätze.

Read Julia's timetable. Correct the sentences.

Beispiel: ***1*** *Geschichte endet um dreizehn Uhr zehn.*

1. Geschichte endet um zwölf Uhr zwanzig.
2. Julia hat um acht Uhr fünf Deutsch.
3. Julia hat um neun Uhr fünfundfünfzig Englisch.
4. Julia hat um elf Uhr Mathe.
5. Religion beginnt um zwölf Uhr fünfundzwanzig.
6. Die Schule beginnt um dreizehn Uhr zehn.

Julia Döring – Klasse 8c
Montag

08:10-08:55	Deutsch
08:55-09:40	Englisch
PAUSE!	
10:00-10:45	Mathe
10:45-11:30	Kunst
PAUSE!	
11:40-12:25	Religion
12:25-13:10	Geschichte

3 Pausenbrot

Talking about what you eat and drink at break
Checking verb endings

hören 1

Hör zu. Was passt zusammen? (1–12)
Beispiel: ***1*** *l*

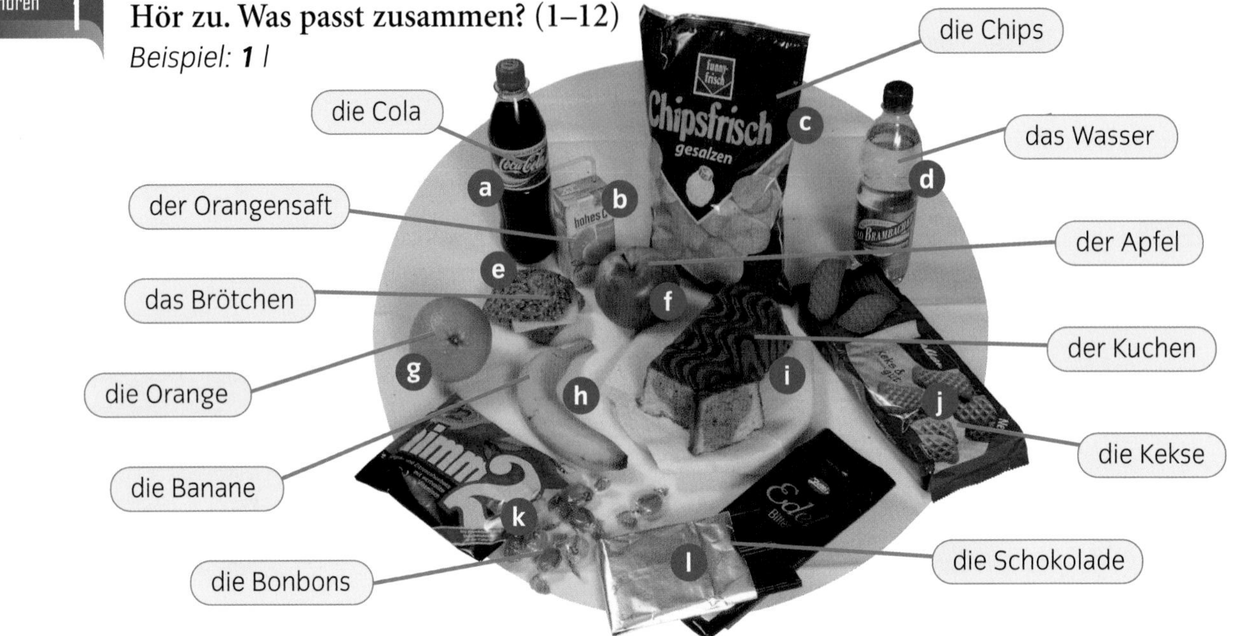

hören 2

Hör zu. Was essen / trinken sie in der Pause? (1–5)
Listen. What do they eat / drink at break?
Beispiel: ***1*** *e, f, …*

Was	isst trinkst	du in der Pause?
Ich	esse	einen Apfel. eine Orange / Banane. ein Brötchen. Schokolade / Kuchen / Kekse / Chips / Bonbons. nichts.
	trinke	Cola / Orangensaft / Wasser. nichts.

sprechen 3

Umfrage.

- ■ Was isst du in der Pause?
- ● Ich esse (ein Brötchen und eine Orange).
- ■ Was trinkst du in der Pause?
- ● Ich trinke (Wasser).

schreiben 4

Pausenbrot: Wähle jeden Tag etwas anderes.
Snacks at break: Choose something different every day.

Mo.: Ich esse ein Brötchen und ich trinke Cola.

Mo. Di. Mi. Do. Fr.

hören 5

Hör zu. Was essen sie? Was kostet das? (1–4)
Beispiel: ***1*** *e, 0,50 Euro*

sprechen 6

Partnerarbeit.

- ■ Ja, bitte?
- ● (Orangensaft), bitte.
- ■ Das macht (fünfunddreißig) Cent.
- ● (Fünfunddreißig) Cent, bitte.
- ■ Danke.
- ● Bitte.

bitte

Bitte is a very useful word. You can use it in different situations. It means:

- 'please'
- 'here you are'
- 'you're welcome' (after saying 'Thanks!')

lesen 7

Lies die Texte. Korrigiere die Sätze.

*Beispiel: **1** Anke isst eine Orange, einen Apfel und …*

Hallo! In der Pause esse ich Chips, ein Brötchen und eine Banane. Das finde ich lecker!
Ich trinke Orangensaft.
Robert

Was esse ich in der Pause? Ich esse einen Apfel, eine Orange und eine Banane. Und was trinke ich? Ich trinke Wasser. Das ist sehr gesund!
Anke

Hallo! In der Pause trinke ich Cola. Ich esse Kuchen, Schokolade und Kekse. Ungesund, aber lecker!!
Ulli

Hi! Ich trinke Cola in der Pause. Ich esse einen Apfel, ein Brötchen und Bonbons. Mmm – das schmeckt!
Judith

1 Anke isst eine Orange, ein Brötchen und eine Banane.
2 Ulli isst Kuchen, Kekse und Chips.
3 Judith trinkt Cola und isst ein Brötchen, Bonbons und eine Banane.
4 Robert isst eine Banane, Chips und ein Brötchen, aber er trinkt nichts.
5 Anke trinkt Wasser, aber Ulli trinkt Orangensaft.

ECHO • Detektiv

Verb endings

Now you know some regular verbs and some irregular ones.

Regular:

	ich	du	er / sie
trinken	trink**e**	trink**st**	trink**t**

Irregular:

	ich	du	er / sie
essen	**esse**	**isst**	**isst**
sein	**bin**	**bist**	**ist**

Learn the irregular verbs by heart!

Lern weiter ➡ **5.2, Seite 118**
5.4, Seite 120

Mini-Test • Check that you can

1. Ask someone which subject is their favourite
2. Give your opinion about three school subjects
3. Say what subjects you have on one day of the week
4. Say what time it is now
5. Ask someone what they eat and drink at break
6. Give regular verb endings for *ich*, *du* and *er / sie*
7. Name three irregular verbs

4 Was trägst du in der Schule?

Describing what you wear to school
Revising *einen, eine, ein*

hören 1

Hör zu. Was ist die richtige Reihenfolge? *Listen. What is the correct order?*
Beispiel: j, …

lesen 2

Sieh dir das Bild in Aufgabe 1 an. Richtig oder falsch?
Look at the picture in Exercise 1. True or false?

1 Die Jacke ist grau.
2 Der Rock ist grün.
3 Die Krawatte ist rot.
4 Die Jeans sind lila.
5 Die Schuhe sind schwarz.
6 Das Hemd ist orange.

Der	Rock / Pullover	ist	blau / braun / gelb / grau / grün / lila / orange / rot / schwarz / weiß.
Die	Hose / Bluse / Krawatte / Jacke	ist	
Das	Hemd / T-Shirt / Sweatshirt / Kleid	ist	
Die	Schuhe / Stiefel / Sportschuhe / Socken / Jeans	sind	

ECHO • Detektiv

***the* + plural nouns**

die Socken — *the socks*
die Schuhe — *the shoes*

Lern weiter ➡ 2.1, Seite 113

sprechen 3

Partnerarbeit.

■ Das T-Shirt ist braun.
● Falsch! Das T-Shirt ist gelb.
■ Richtig! Die Jeans sind blau …

ECHO • Detektiv

sie sind = *they are*

Die Socken **sind** blau.
The socks are blue.

Lern weiter ➡ 5.4, Seite 120

schreiben 4

Schreib acht Sätze über die Kleidung in Aufgabe 1.
Write eight sentences about the clothes in Exercise 1.
Beispiel: Die Jacke ist blau.

hören 5

Hör zu und lies. Sieh dir die Bilder an. Wo ist der Fehler?
Listen and read. Look at the pictures. Where is the mistake?

Was trägst du in der Schule?

1 *Ich trage einen Jeansrock und einen Pullover. Der Pullover ist rot und der Jeansrock ist blau. Ich trage auch Schuhe, das finde ich schick!*

2 *Ich trage eine Hose und einen Pullover. Die Hose ist grün und der Pullover ist blau. Ich trage Stiefel. Ich finde das cool!*

Hamit

Marie

Lea

3 *Ich trage eine Bluse und eine Hose. Die Hose ist grün. Ich trage auch Sportschuhe. Ich finde das bequem.*

Schoolchildren in Germany, Austria and Switzerland don't have a school uniform.

auch = *also*

ECHO • Detektiv

Ich trage + einen / eine / ein
Did you remember how to say 'a' after a verb?

m	Ich trage **einen** Rock.
f	Ich trage **eine** Jacke.
n	Ich trage **ein** Hemd.

Lern weiter → 2.4, Seite 114

sprechen 6

Gedächtnisspiel: Was trägst du in der Schule?

- ■ Was trägst du in der Schule?
- ● Ich trage (eine Hose).
- ▲ Ich trage eine Hose und (ein Hemd).

Was trägst du in der Schule?

Ich trage (auch)	einen Rock / Jeansrock / Pullover.
	eine Hose / Bluse / Jacke.
	ein Hemd / T-Shirt / Sweatshirt / Kleid.
	Jeans / Schuhe / Stiefel / Sportschuhe / Socken.
Ich finde das cool / bequem / schick / gut.	

schreiben 7

Deine Traumuniform.
Your ideal uniform.
Beispiel:
Ich trage Jeans. Die Jeans sind schwarz. Ich trage auch ein Sweatshirt. Ich finde das ...

hören 1

Hör zu und lies.

Nina Bukowski

Hallo!

Ich heiße Nina Bukowski. Ich bin dreizehn Jahre alt. Ich wohne in Salzburg in Österreich.

Meine Schule heißt das Musische Gymnasium. Ich bin in der Klasse 8a.

Die Schule beginnt um acht Uhr und endet um dreizehn Uhr zehn. In der Pause esse ich ein Brötchen und ich trinke Orangensaft oder Cola.

Mein Lieblingsfach ist Musik. Ich finde Englisch schwierig und Französisch ist furchtbar!

Ich trage ein Sweatshirt und Jeans in der Schule – ich habe keine Schuluniform.

die Klasse = *class*

In German-speaking countries, school usually begins at about 8 a.m. and finishes at about 1 p.m. Some schools have classes on Saturdays!

Understanding a text

1 Look for clues before you read:
- Think: what are the chapter and the unit about? (e.g. school; schools in other countries ...)
- Does the text have a title?
- Are there pictures or photos?
- What sort of text is it? (e.g. an advert, a letter, ...)

2 Get a general idea of the text:
- Look for words and phrases (groups of words) you know.
- Don't worry if there are words you don't know.

sprechen 2

Partnerarbeit: Lies den Text vor. *Read the text out loud.*

- (*First paragraph:*) Ich heiße Nina …
- (*Second paragraph:*) Meine Schule heißt …

lesen 3

Lies den Text noch mal und ordne die Bilder. (Vier Bilder sind nicht im Text.)
Read the text again and put the pictures in order.
(Four pictures are not mentioned in the text.)
Beispiel: d, …

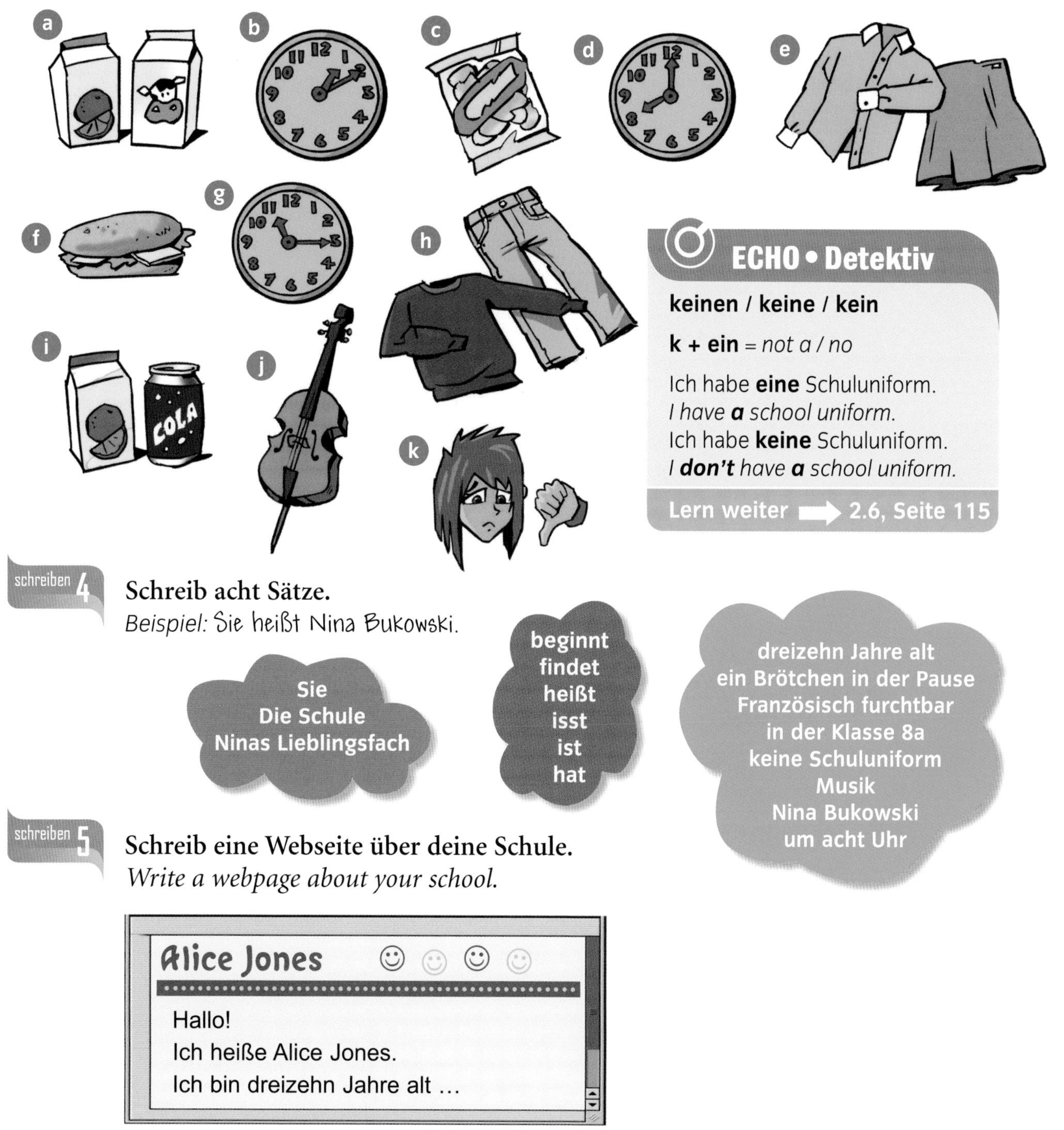

ECHO • Detektiv

keinen / keine / kein

k + ein = *not a / no*

Ich habe **eine** Schuluniform.
*I have **a** school uniform.*
Ich habe **keine** Schuluniform.
*I **don't** have **a** school uniform.*

Lern weiter ➡ 2.6, Seite 115

schreiben 4

Schreib acht Sätze.
Beispiel: Sie heißt Nina Bukowski.

Sie
Die Schule
Ninas Lieblingsfach

beginnt
findet
heißt
isst
ist
hat

dreizehn Jahre alt
ein Brötchen in der Pause
Französisch furchtbar
in der Klasse 8a
keine Schuluniform
Musik
Nina Bukowski
um acht Uhr

schreiben 5

Schreib eine Webseite über deine Schule.
Write a webpage about your school.

Alice Jones

Hallo!
Ich heiße Alice Jones.
Ich bin dreizehn Jahre alt …

Lernzieltest

Check that you can:

1	● Say which subject is your favourite	*Mein Lieblingsfach ist Englisch.*
	● Ask someone what their favourite subject is	*Was ist dein Lieblingsfach?*
	● Say what you think of different subjects	*Ich finde Deutsch toll!* *Ich finde Mathe furchtbar!*
	● Ask someone what they think of different subjects	*Wie findest du Erdkunde / Religion / Sport?*
	Ⓖ Use *und* and *aber* to make sentences longer	*Ich finde Deutsch furchtbar und langweilig, aber einfach.*
2	● Say what lessons you have on one day of the week	*Ich habe am Montag Geschichte, Informatik, Mathe und Kunst.*
	● Ask someone what lessons they have on each day of the week	*Was hast du am Montag / Dienstag / Mittwoch / Donnerstag / Freitag?*
	● Ask what the time is	*Wie viel Uhr ist es?*
	● Say what time it is	*Es ist zwölf Uhr zehn.*
	● Say when a lesson begins and ends	*Deutsch beginnt um neun Uhr fünfzehn. Geschichte endet um zwölf Uhr.*
3	● Ask someone what they eat and drink at break	*Was isst du in der Pause?* *Was trinkst du in der Pause?*
	● Say what you eat and drink at break	*Ich esse ein Brötchen und ich trinke Orangensaft.*
	Ⓖ Give the *ich*, *du* and *er / sie* forms of three verbs	*ich trinke, du trinkst, sie trinkt* *ich bin, du bist, er ist* *ich habe, du hast, er hat*
4	● Ask someone what they wear to school	*Was trägst du in der Schule?*
	Ⓖ Use *einen / eine / ein* to talk about what you wear to school	*Ich trage einen Pullover, eine Hose, ein Hemd …*
5	● Describe your school	*Meine Schule heißt …* *Ich bin in der Klasse …*
	● Give two examples of clues to look for before reading a text	Subject of chapter and unit; pictures / photos; title; type of text

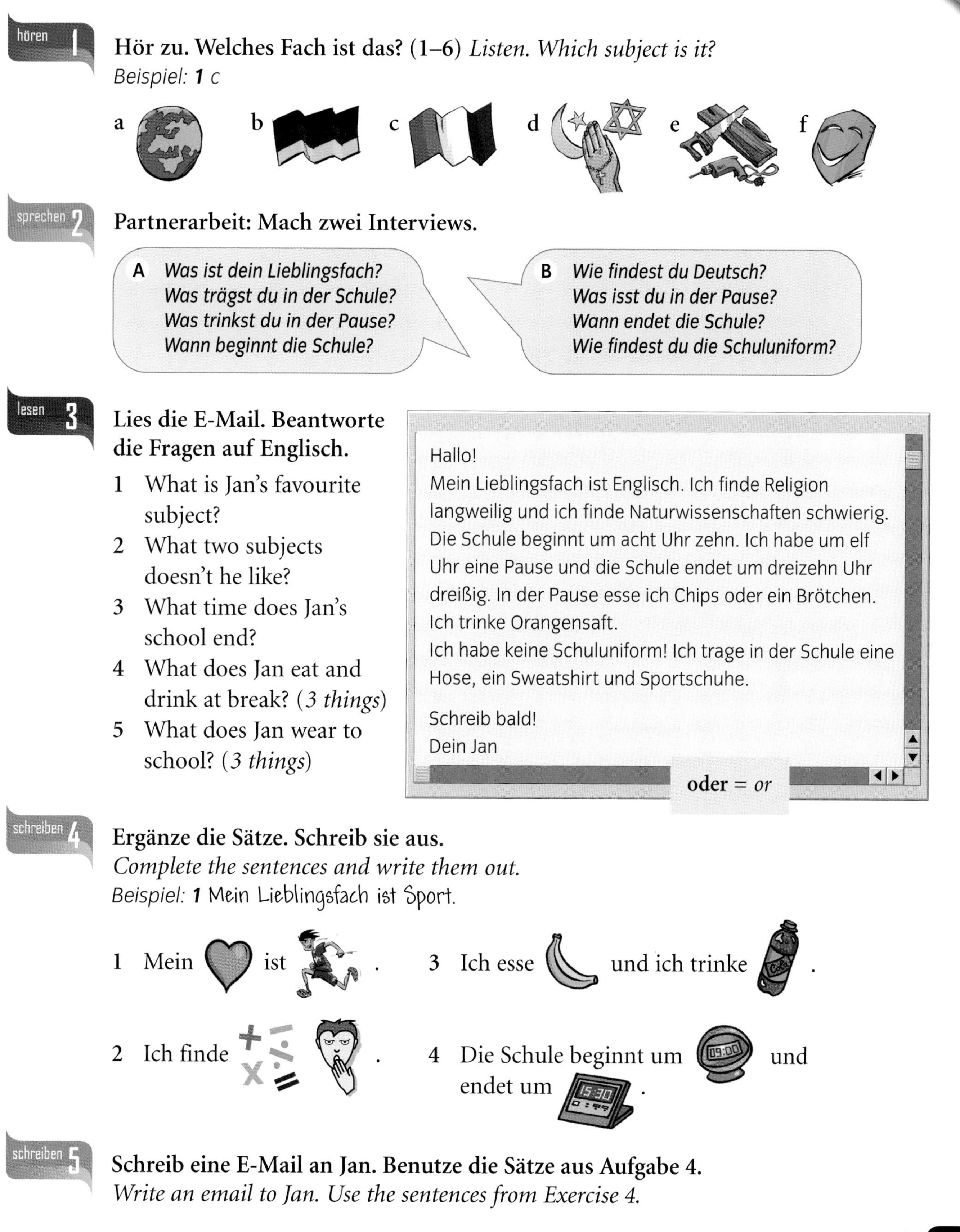

hören 1

Hör zu. Welches Fach ist das? (1–6) *Listen. Which subject is it?*
Beispiel: ***1*** *c*

a b c d e f

sprechen 2

Partnerarbeit: Mach zwei Interviews.

A *Was ist dein Lieblingsfach?*
Was trägst du in der Schule?
Was trinkst du in der Pause?
Wann beginnt die Schule?

B *Wie findest du Deutsch?*
Was isst du in der Pause?
Wann endet die Schule?
Wie findest du die Schuluniform?

lesen 3

Lies die E-Mail. Beantworte die Fragen auf Englisch.

1 What is Jan's favourite subject?
2 What two subjects doesn't he like?
3 What time does Jan's school end?
4 What does Jan eat and drink at break? (*3 things*)
5 What does Jan wear to school? (*3 things*)

Hallo!
Mein Lieblingsfach ist Englisch. Ich finde Religion langweilig und ich finde Naturwissenschaften schwierig. Die Schule beginnt um acht Uhr zehn. Ich habe um elf Uhr eine Pause und die Schule endet um dreizehn Uhr dreißig. In der Pause esse ich Chips oder ein Brötchen. Ich trinke Orangensaft.
Ich habe keine Schuluniform! Ich trage in der Schule eine Hose, ein Sweatshirt und Sportschuhe.

Schreib bald!
Dein Jan

oder = *or*

schreiben 4

Ergänze die Sätze. Schreib sie aus.
Complete the sentences and write them out.
Beispiel: **1** Mein Lieblingsfach ist Sport.

1 Mein ist .

2 Ich finde .

3 Ich esse und ich trinke .

4 Die Schule beginnt um und endet um .

schreiben 5

Schreib eine E-Mail an Jan. Benutze die Sätze aus Aufgabe 4.
Write an email to Jan. Use the sentences from Exercise 4.

hören 1

Hör zu und lies mit.

Peters Traumschule

schreiben 2

Schreib Peters Stundenplan für die „Traumschule“.

Write Peter’s timetable for the ‘dream school’.

Beispiel: 10.00 – Rockmusik

lesen 3

Rate mal: Wie heißt das auf Englisch?

Guess what it is in English.

1 lecker 2 das Computerspiel 3 du kommst 4 zu spät

lesen 4

Deine Meinung: Traumschule oder Realität?

Your opinion: dream school or reality?

Beispiel:

Traumschule	Realität
1	2

1 *Ich habe keine Mathe. Ich habe nur Sport. Das ist toll!*

2 *In der Pause esse ich ein Sandwich. Langweilig!*

3 *Ich habe Mathe. Ich finde Mathe sehr schwierig.*

4 *Es ist neun Uhr. Die Schule beginnt.*

5 *Die Lehrerinnen und Lehrer sind freundlich und lustig.*

6 *Die Lehrerinnen und Lehrer sind streng und unfreundlich.*

7 *Die Schule beginnt um zehn Uhr.*

8 *In der Pause esse ich einen Hamburger im Restaurant. Das schmeckt!*

hören 5

Hör zu und sing mit.

Ich trage eine Hose.
Wie ist die Hose?
Sie ist bequem und grün.
Ich trage einen Rock.
Wie ist der Rock?
Er ist rot und schön.

Die Schuluniform ist doof, doof, doof!
Die Schuluniform ist toll, toll, toll!

Ich trage eine Jacke.
Wie ist die Jacke?
Sie ist praktisch und blau.
Ich trage einen Pulli.
Wie ist der Pulli?
Er ist hässlich und grau!

Die Schuluniform ist, etc.

Ich trage ein Hemd.
Wie ist das Hemd?
Es ist cool und weiß.
Ich trage schwarze Socken.
Wie sind die Socken?
Sie sind bequem, aber heiß.

Die Schuluniform ist ..., etc.

doof = *silly*

schreiben 6

Wie ist deine Traumschule? Schreib Sätze.

What's your dream school like? Write sentences.

Beispiel: 10.00 Ich spiele Computerspiele. Das ist toll!
11.00 Pause: Ich esse Pizza im Restaurant. Das schmeckt!

Schulfächer	***School subjects***
Was ist dein Lieblingsfach?	*What's your favourite subject?*
Mein Lieblingsfach ist …	*My favourite subject is …*
Deutsch.	*German.*
Englisch.	*English.*
Französisch.	*French.*
Religion.	*RE.*
Informatik.	*ICT.*
Mathe.	*maths.*
Naturwissenschaften.	*science.*
Werken.	*design and technology.*
Kunst.	*art.*
Musik.	*music.*
Theater.	*drama.*
Erdkunde.	*geography.*
Geschichte.	*history.*
Sport.	*PE.*

Meinungen	***Opinions***
Wie findest du Deutsch?	*What do you think of German?*
Ich finde es …	*I think it's …*
gut.	*good.*
schlecht.	*bad.*
interessant.	*interesting.*
langweilig.	*boring.*
einfach.	*easy.*
schwierig.	*difficult.*
toll.	*great.*
furchtbar.	*awful.*
Ich finde Erdkunde gut und interessant.	*I think geography is good and interesting.*
Ich finde Mathe einfach, aber langweilig.	*I think maths is easy but boring.*

Die Wochentage	***Days of the week***
Montag	*Monday*
Dienstag	*Tuesday*
Mittwoch	*Wednesday*
Donnerstag	*Thursday*
Freitag	*Friday*
Samstag	*Saturday*
Sonntag	*Sunday*
Was hast du am Montag?	*What have you got on Monday(s)?*
Ich habe am Montag Deutsch.	*I've got German on Monday(s).*
Er / Sie hat am Dienstag Mathe.	*He / She has got maths on Tuesday(s).*

Die Uhrzeit	***Telling the time***
Wie viel Uhr ist es?	*What's the time?*
Es ist neun Uhr.	*It's nine o'clock.*
Es ist neun Uhr dreißig.	*It's nine-thirty.*
Wann beginnt Deutsch?	*When does German start?*
Wann endet Deutsch?	*When does German end?*
Um zehn Uhr fünfzig.	*At ten-fifty.*

Das Pausenbrot	***Snacks at break***
Was isst du in der Pause?	*What do you eat at break?*
Ich esse …	*I eat …*
Er / Sie isst …	*He / She eats …*
einen Apfel.	*an apple.*
eine Orange.	*an orange.*
eine Banane.	*a banana.*
ein Brötchen.	*a roll.*
Kuchen.	*cake.*
Schokolade.	*chocolate.*
Kekse.	*biscuits.*
Chips.	*crisps.*
Bonbons.	*sweets.*
Ich esse nichts.	*I don't eat anything.*
Was trinkst du in der Pause?	*What do you drink at break?*
Ich trinke …	*I drink …*
Er / Sie trinkt …	*He / She drinks …*
Cola.	*cola.*
Orangensaft.	*orange juice.*
Wasser.	*water.*
Ich trinke nichts.	*I don't drink anything.*
Ja, bitte?	*Can I help you?*
Ein Brötchen, bitte.	*A roll, please.*
Das macht fünfzig Cent.	*That's fifty cents.*

Bitte.	*Here you are./You're welcome.*
Danke.	*Thanks.*
Die Schuluniform	***School uniform***
der Pullover	*jumper*
der Rock	*skirt*
die Bluse	*blouse*
die Hose	*trousers*
die Jacke	*blazer, jacket*
die Krawatte	*tie*
das Hemd	*shirt*
das Kleid	*dress*
das Sweatshirt	*sweatshirt*
das T-Shirt	*T-shirt*
die Jeans	*jeans*
die Schuhe	*shoes*
die Socken	*socks*
die Sportschuhe	*trainers*
die Stiefel	*boots*
Der Rock ist (blau).	*The skirt is (blue).*
Die Socken sind (gelb).	*The socks are (yellow).*
blau	*blue*
braun	*brown*
gelb	*yellow*
grau	*grey*
grün	*green*
lila	*purple*
orange	*orange*
rot	*red*
schwarz	*black*
weiß	*white*
Was trägst du in der Schule?	*What do you wear to school?*
Ich trage …	*I wear …*
einen Rock.	*a skirt.*
einen Jeansrock.	*a denim skirt.*
einen Pullover.	*a jumper.*
eine Hose.	*trousers.*
eine Bluse.	*a blouse.*
eine Jacke.	*a blazer/jacket.*
eine Krawatte.	*a tie.*
ein Hemd.	*a shirt.*
ein T-Shirt.	*a T-shirt.*
ein Kleid.	*a dress.*
ein Sweatshirt.	*a sweatshirt.*
Jeans.	*jeans.*
Socken.	*socks.*
Schuhe.	*shoes.*
Stiefel.	*boots.*
Sportschuhe.	*trainers.*
Ich finde das …	*I think it's …*
cool.	*cool.*
bequem.	*comfy.*
schick.	*smart.*
gut.	*good.*
Ich habe keine Schuluniform.	*I don't have a school uniform.*

Strategie 2

Cognates

Cognates are words which look similar **and mean the same thing** in two languages. There are lots of cognates between German and English. Here are some from *Kapitel 2*.

Englisch	*English*
Musik	*music*
die Orange	*orange*
die Banane	*banana*
der Pullover	*pullover, jumper*

Cognates are very handy when you're trying to understand a text or recording. But remember to learn any differences in spelling, e.g. music has a 'c' in English and a 'k' in German (Musik).

See if you can spot some more cognates on pages 26 and 28. But watch out for 'false friends' – words that look the same **but mean different things.** For example:

die Chips	*crisps*

3 Familie und Freunde

1 Das ist meine Familie

Giving information about family members
Using the possessive adjectives *mein* and *dein* ('my' and 'your')

hören **1** **Hör zu. Was passt zusammen? (1–7)**
Beispiel: ***1** g*

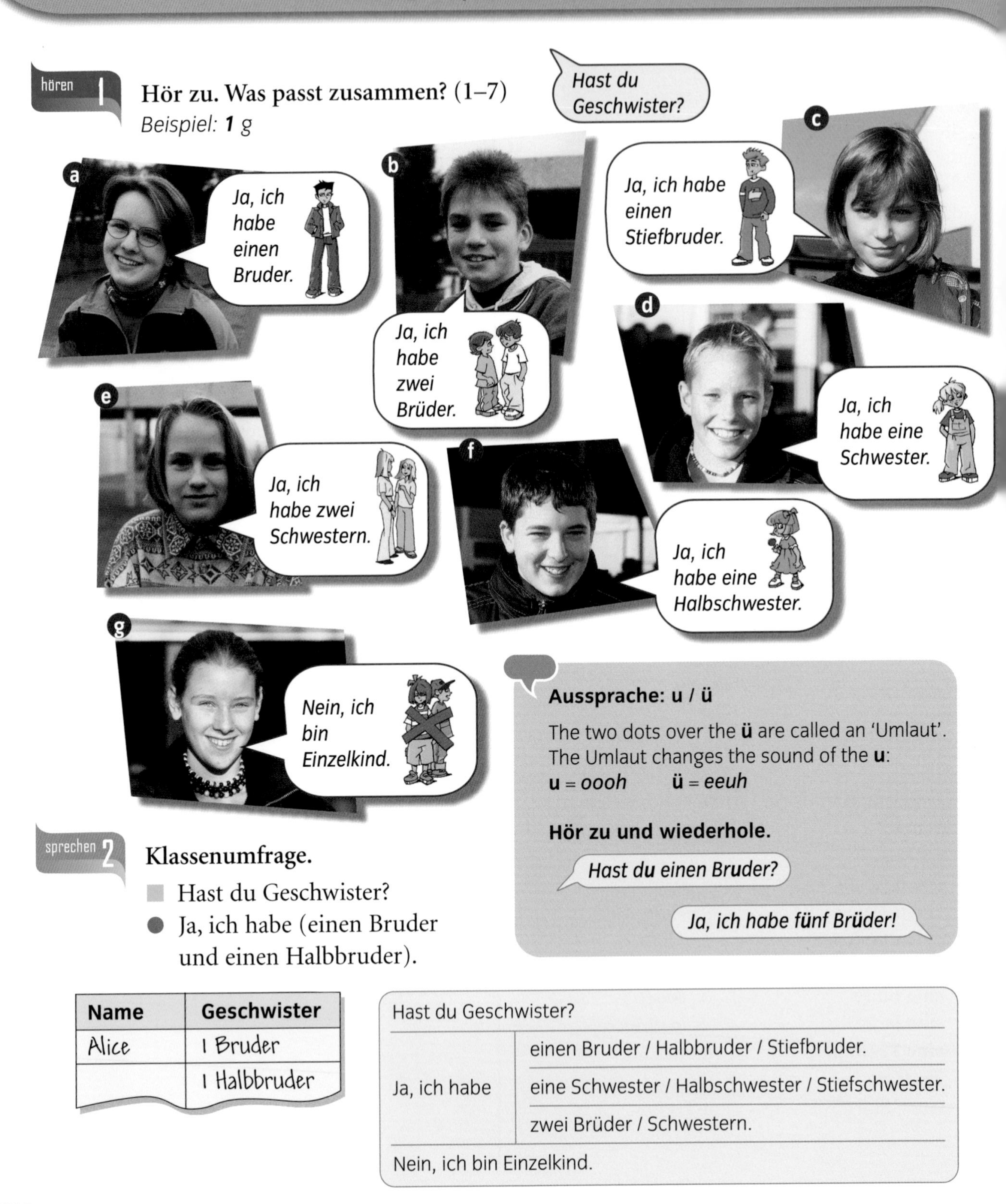

sprechen **2** **Klassenumfrage.**

- Hast du Geschwister?
- Ja, ich habe (einen Bruder und einen Halbbruder).

Name	Geschwister
Alice	1 Bruder
	1 Halbbruder

Aussprache: u / ü

The two dots over the **ü** are called an 'Umlaut'. The Umlaut changes the sound of the **u**:
u = *oooh* **ü** = *eeuh*

Hör zu und wiederhole.

Hast du einen Bruder?

Ja, ich habe fünf Brüder!

Hast du Geschwister?	
Ja, ich habe	einen Bruder / Halbbruder / Stiefbruder.
	eine Schwester / Halbschwester / Stiefschwester.
	zwei Brüder / Schwestern.
Nein, ich bin Einzelkind.	

lesen 3

Lies den Text. Wer ist das? Kopiere die Tabelle und füll sie aus.

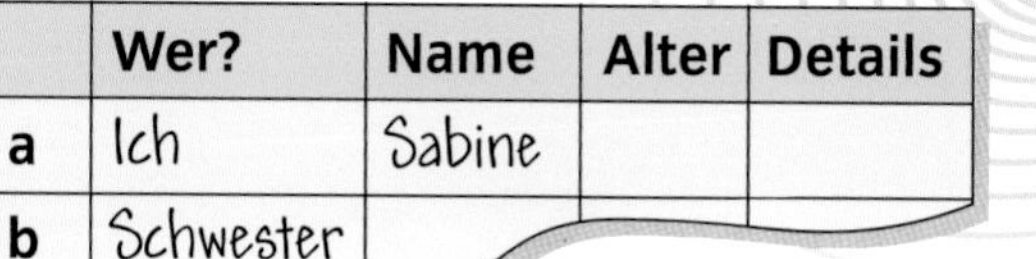

	Wer?	Name	Alter	Details
a	Ich	Sabine		
b	Schwester			

Hallo. Ich heiße Sabine und bin sechzehn Jahre alt. Ich wohne in Zürich, in der Schweiz. Meine Familie ist sehr groß. Ich habe einen Bruder. Er heißt Zaki und er ist dreizehn Jahre alt. Er ist super doof! Meine Schwester heißt Lulu. Sie ist zwölf Jahre alt und sie trinkt viel Cola! Ich habe auch eine Halbschwester, Anabel. Sie ist vier Jahre alt und ihre Lieblingsfarbe ist Rot. Und wer sonst? Ach ja, Max ist mein Halbbruder. Er ist nur ein Jahr alt, aber er ist toll!

hören 4

Hör zu. Wer ist das? (1–10)

Beispiel: ***1*** *b – meine Großmutter*

mein Bruder	meine Cousine
mein Cousin	meine Großmutter
mein Großvater	meine Tante
mein Onkel	meine Mutter
mein Vater	
mein Stiefvater	

er = *he*
sie = *she*
These little words will be very useful to you in German. Learn them carefully!

sprechen 5

Partnerarbeit: Michaels Familie.

- Er oder sie?
- (Sie).
- Wie heißt sie?
- (Sie) heißt (Hedwig).
- Und wie alt ist (sie)?
- (Sie) ist (73) Jahre alt.
- Das ist (deine Großmutter!)

ECHO·Detektiv

mein **(my) and** ***dein*** **(your)**

m	Das ist mein/dein Vater.
f	Das ist mein**e**/dein**e** Mutter.
n	Das ist mein/dein Buch.

Lern weiter ➡ 2.7, Seite 115

schreiben 6

Schreib einen Absatz über dich und deine Familie.

Hallo! Ich heiße ... und bin ... Jahre alt.
Meine Mutter heißt Sarah. Sie ist vierzig Jahre alt.
Mein Cousin heißt James und er ist toll! Er ist fünfzehn Jahre alt.

2 Wie sieht sie aus?

Describing people's appearance
Using adjectives with nouns

hören **1**

Hör zu. Wie sehen sie aus? (1–8) *Listen. What do they look like?*
Beispiel: ***1*** *a*

a	b	c	d
grüne Augen	blaue Augen	braune Augen	graue Augen

e	f	g	h
kurze Haare	lange Haare	lockige Haare	glatte Haare

i	j	k	l
blonde Haare	rote Haare	braune Haare	schwarze Haare

schreiben **2**

Verbinde die Satzteile und beschreib Anja, Manja und Tanja.
Link the parts of the sentences to describe Anja, Manja und Tanja.
Beispiel: Manja: Ich habe lange, lockige ...

Manja
Anja
Tanja

Ich habe lange,	blonde	braune Haare	graue Augen.
Ich habe kurze,	lockige,	Haare und	und braune Augen.
Ich habe glatte,	glatte,	schwarze Haare und	braune Augen.

ECHO • Detektiv

Adjective endings

blau → ich habe blau**e** Augen
grau → ich habe grau**e** Augen
braun → ich habe braun**e** Haare
grün → ich habe grün**e** Haare

Lern weiter ➡ 3.1, Seite 116

Aussprache: au

au = *ow*

Hör zu und wiederhole.

Blaue Frauen haben immer graue Augen.

schreiben **3**

Wie siehst du aus? Und zwei Mitglieder deiner Familie?
What do you look like? And two members of your family?
Beispiel: Ich habe grüne Augen und lange, rote Haare.
Meine Mutter hat blaue Augen. Sie hat kurze, lockige, braune Haare.

Remember!

er hat *he has*
sie hat *she has*

hören **4**

Hör zu und schau das Bild an. Wer ist das? (1–5) *Listen and look at the picture. Who is it?*
Beispiel: ***1*** *Thor Stein*

ich bin du bist er / sie ist	klein	mittelgroß	groß
	schlank	kräftig	dick

lesen **5**

Füll die Lücken im Text aus. *Fill the gaps in the text.*

Hier ist *Total Stark*. Die Top-Band aus Deutschland! Lena Lexis ist mittelgroß und __1__ . Sie hat __2__ , braune Haare. Thor Stein ist groß und __3__ . Er hat glatte, __4__ Haare. Max Maxi __5__ groß und schlank. Er hat lange, __6__ Haare. __7__ ist klein __8__ dick. Er hat __9__ , schwarze Haare. Lisa Lautstark ist __10__ und schlank. Sie __11__ braune, __12__ Haare.

sprechen **6**

Gruppenarbeit. Beschreib jemand aus „*Total Stark*".
Groupwork. Describe someone from 'Total Stark'.
Beispiel:

- ■ Er ist groß.
- ● Ist das Thor Stein?
- ■ Nein, er hat rote Haare.
- ▲ Ist das Max Maxi?
- ■ Ja, richtig!

schreiben **7**

Beschreib drei berühmte Personen. *Describe three famous people.*
Beispiel: Brad Pitt ist groß und schlank. Er hat...

3 Er ist lustig

Talking about people's characteristics
Making sentences more interesting

hören **1**

Hör zu. Was passt zusammen? (1–11)
Beispiel: ***1*** *d*

sprechen **2**

Partnerarbeit:

- Wie bist du?
- Ich bin (lustig), (sportlich) und (faul).

Remember to make your sentences more interesting by using these words:

und = *and*
aber = *but*
auch = *also*

hören **3**

Hör zu und lies. Wie heißen die Lehrer?
Listen and read. What are the teachers' names?
Beispiel: ***1*** *Herr Heumann*

Frau Schütte ist freundlich, aber sie ist launisch. Herr Arendt ist kreativ, aber er ist unpünktlich. Frau Schmidt ist intelligent und musikalisch. Sie ist auch schüchtern. Wie ist Herr Heumann? Er ist laut und lustig.

schreiben **4**

Beschreib zwei deiner Lehrer. *Describe two of your own teachers.*
Beispiel: Herr Jones ist freundlich und lustig, aber unpünktlich!

5 Lies den Text. Wie ist Bart Simpson? Mach Notizen auf Englisch.

Beispiel: very loud, …

Wie ist Bart Simpson? Er ist sehr laut und auch ziemlich intelligent. Er ist nicht schüchtern! Bart ist ziemlich freundlich, aber nicht sehr kreativ. Er ist auch nicht sehr sportlich. Er ist sehr lustig, aber nicht musikalisch.

ECHO • Detektiv

sehr *very*
ziemlich *fairly*
nicht *not*

Use these qualifiers immediately before the adjective, e.g. Ich bin **ziemlich** schüchtern.

6 Hör zu. Füll die Tabelle aus.

	Name	Charakter	Wie sieht er / sie aus?
1	Lisa Simpson	nicht sportlich, …	sehr klein, …

7 Wie bist du? Schreib vier lange Sätze über dich.

Beispiel: Ich bin ziemlich laut, aber ich bin auch freundlich.

8 Hör zu und sing mit.

Haustier = *pet*
Katze = *cat*
Schlange = *snake*
Maus = *mouse*

Mini-Test • Check that you can

1. Talk about brothers and sisters
2. Ask questions about name and age of family members
3. Talk about families using *mein / meine* and *dein / deine*
4. Describe someone's hair, eyes and build
5. Talk about people's character
6. Make a long sentence using *und, aber* and *auch*

4 Haustiere

Talking about pets
Using the plural forms of nouns

hören **1**

Hör zu und wiederhole. (1–10)

Hast du ein Haustier?

Ich habe …

1 einen Goldfisch
2 einen Hamster
3 einen Hund
4 einen Wellensittich

5 eine Katze
6 eine Schildkröte
7 eine Schlange

8 ein Kaninchen
9 ein Meerschweinchen
10 ein Pferd

lesen **2**

Finde die Paare oben. *Find the pairs above.*
Beispiel: ***1*** *i*

hören **3**

Hör zu. Welche Haustiere hat er / sie?
Listen. What pets does he / she have?
Beispiel: Viktor – g, b

Stefanie

Viktor

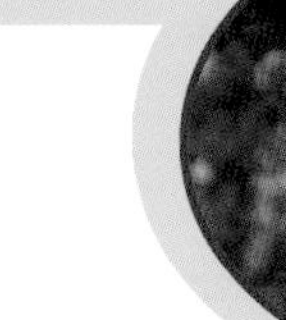

Peter

Julia

schreiben **4**

Was sagen sie? Schreib Sätze.
Beispiel: Viktor: Ich habe einen Hund und eine Katze.

sprechen **5**

Gedächtnisspiel.

■ Ich habe (einen Hund).
● Ich habe einen Hund und (eine Katze).
▲ Ich habe einen Hund und eine Katze und …

hören **6**

Hör zu. Wer ist das? (1–5)

Beispiel: ***1*** *c*

ECHO • Detektiv

Plurals of nouns

In German, you can't just add an **s** to make a noun plural. You need other endings.

Plural form
Goldfisch**e** Hund**e** Wellensittich**e** Pferd**e**
Katze**n** Schlange**n** Schildkröte**n**
Hamster **(-)** Kaninchen **(-)** Meerschweinchen **(-)**

Lern weiter ➡ 1.2, Seite 113

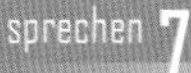

sprechen **7**

Partnerarbeit: Wer bist du?

- ■ Hast du ein Haustier?
- ● Ja, ich habe (zwei Hunde).
- ■ Du bist (b).
- ● Richtig!

lesen **8**

Lies den Text und füll die Tabelle aus.

Mein Problem

Ich habe vier Haustiere: mein Hund Rocky ist mein Lieblingshaustier. Er ist groß und braun und auch lustig. Er ist ein sehr intelligenter Hund. Rocky ist einfach toll!

Meine Schlange, Susi, ist das Problem. Sie sieht schön aus – sie ist grün und gelb (!), aber sie ist sehr launisch und gar nicht freundlich. Sie ist nur zwei Jahre alt.

Ich habe auch eine schwarze Katze, Franzi. Franzi ist zwölf Jahre alt (also ziemlich alt) und sehr, sehr schüchtern. Franzi mag Susi nicht und sie ist immer sehr traurig.

Mein Pferd heißt Lili, es ist fünf Jahre alt und schwarz. Es ist sehr faul und es frisst alles. Das ist auch ein Problem – Lili frisst auch das Essen von Rocky, Franzi und Susi!

Ich liebe meine Haustiere, aber ich brauche Hilfe!

Tier	Name	Alter	Farbe	Persönlichkeit	Problem?
Hund	Rocky	–			

mag … nicht = *doesn't like*
traurig = *sad*
frisst = *eats*

schreiben **9**

Beschreib deine Haustiere oder Traumhaustiere.

Describe your pets or dream pets.

Beispiel: Ich habe eine Schildkröte.
Sie heißt … und sie ist …

> Ich habe …
> Er / Sie / Es ist sehr / ziemlich / nicht …. und …
> …, aber ….
> Ich habe auch …

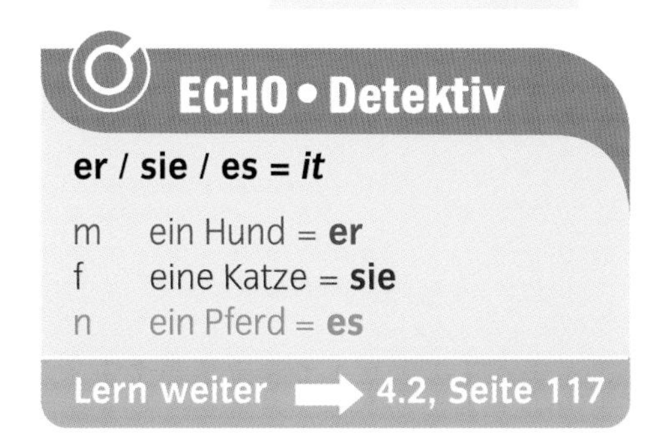

ECHO • Detektiv

er / sie / es = ***it***

m	ein Hund = **er**
f	eine Katze = **sie**
n	ein Pferd = **es**

Lern weiter ➡ 4.2, Seite 117

5 E-Mails

Understanding a longer email and writing a reply
Finding out the meanings of new words

hören **1**

Hör zu und lies Julias E-Mail.

When you look at or listen to a longer text for the first time, try to get a general idea of what it's about.

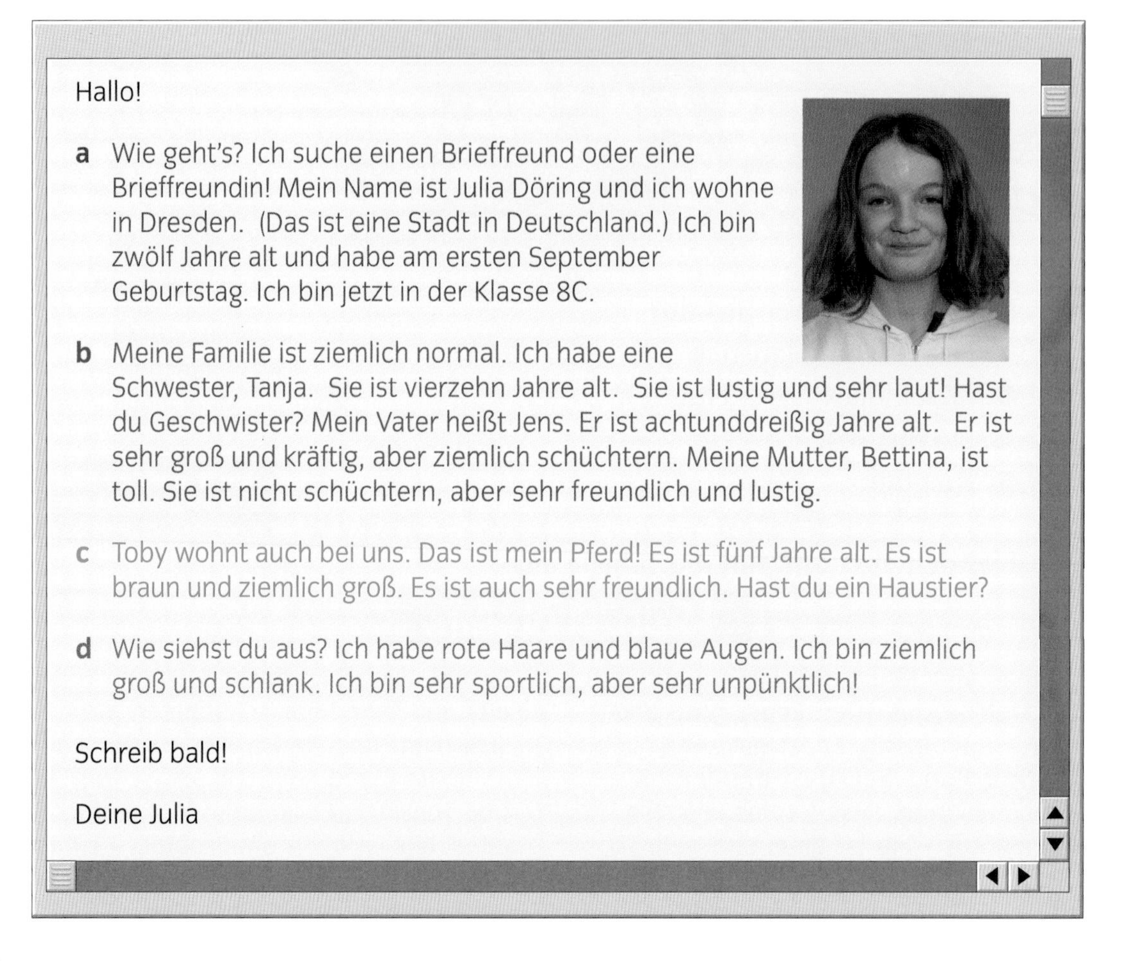

Hallo!

a Wie geht's? Ich suche einen Brieffreund oder eine Brieffreundin! Mein Name ist Julia Döring und ich wohne in Dresden. (Das ist eine Stadt in Deutschland.) Ich bin zwölf Jahre alt und habe am ersten September Geburtstag. Ich bin jetzt in der Klasse 8C.

b Meine Familie ist ziemlich normal. Ich habe eine Schwester, Tanja. Sie ist vierzehn Jahre alt. Sie ist lustig und sehr laut! Hast du Geschwister? Mein Vater heißt Jens. Er ist achtunddreißig Jahre alt. Er ist sehr groß und kräftig, aber ziemlich schüchtern. Meine Mutter, Bettina, ist toll. Sie ist nicht schüchtern, aber sehr freundlich und lustig.

c Toby wohnt auch bei uns. Das ist mein Pferd! Es ist fünf Jahre alt. Es ist braun und ziemlich groß. Es ist auch sehr freundlich. Hast du ein Haustier?

d Wie siehst du aus? Ich habe rote Haare und blaue Augen. Ich bin ziemlich groß und schlank. Ich bin sehr sportlich, aber sehr unpünktlich!

Schreib bald!

Deine Julia

lesen **2**

Welcher Absatz ist das? *Which paragraph(s) is it?*

Beispiel: ***1*** *b*

1 Julias Familie **2** Julias Haustiere **3** Julias Charakter **4** Julias Geburtstag

lesen **3**

Finde die richtige Antwort.

Beispiel: ***1*** *b*

1 Julia wohnt in **a** der Schweiz **b** Deutschland **c** Österreich.

2 Sie hat am **a** 12.9. **b** 1.5. **c** 1.9. Geburtstag.

3 Tanja ist **a** 15 Jahre alt **b** nicht laut **c** lustig.

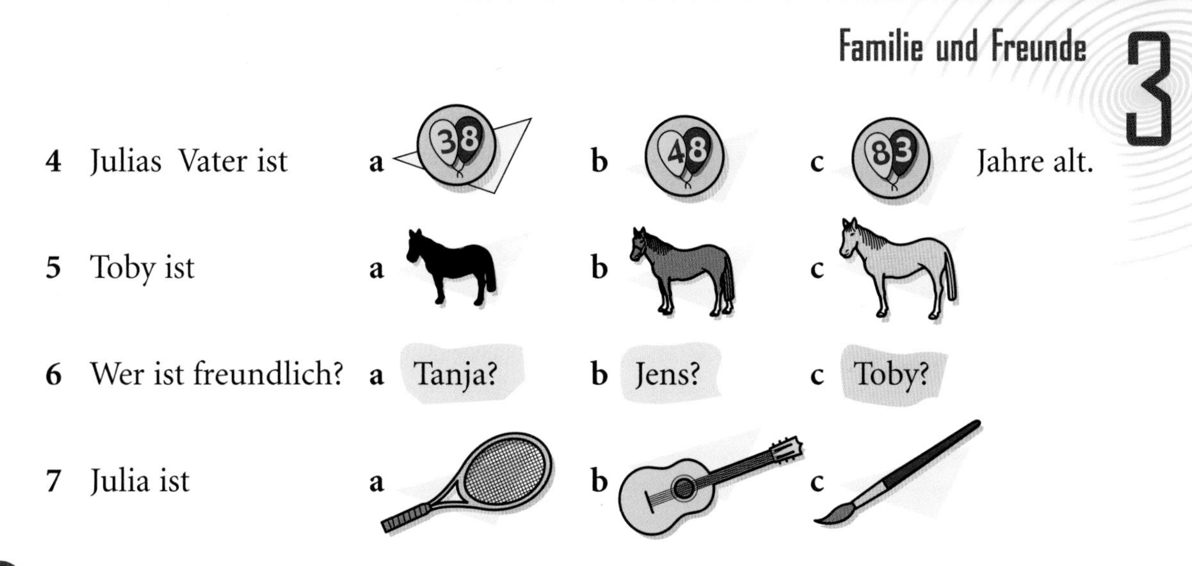

4 Julias Vater ist a 38 b 48 c 83 Jahre alt.

5 Toby ist a b c

6 Wer ist freundlich? a Tanja? b Jens? c Toby?

7 Julia ist a b c

lesen 4

Was sind diese neuen Wörter auf Englisch? *What do these new words mean?*

Ich suche = Brieffreund = Schreib bald =

Finding out what a new word means

- Does the word look similar to an English word?
- Would that meaning make sense here, or should you check in case it's a 'false friend'?
- Can you guess what the word means from other words around it?
- Can you guess from its position in the email?
- Where in this book can you look up the meanings of new words?

sprechen 5

Partnerarbeit: Sprich 30 Sekunden lang über deine Familie und Haustiere.

Beispiel:

Meine Mutter heißt Sue, sie ist ...
Ich habe einen Bruder. Er heißt Ben. Er hat ...
Ich habe einen Hund, Greg. Er ist ...

schreiben 6

Schreib eine Antwort an Julia. Beantworte ihre Fragen.

Write a reply to Julia. Answer her questions.

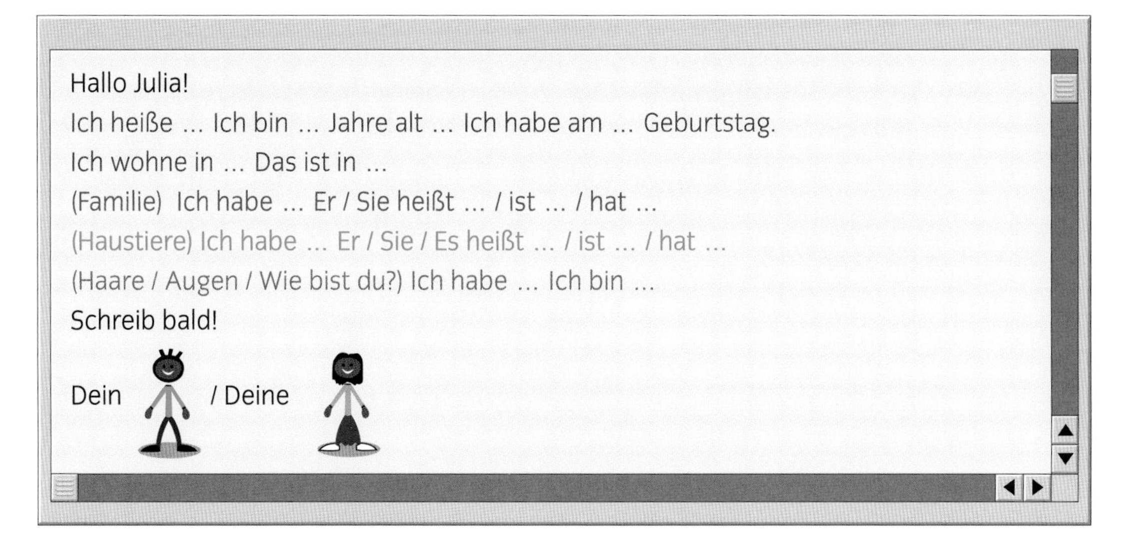

Hallo Julia!
Ich heiße ... Ich bin ... Jahre alt ... Ich habe am ... Geburtstag.
Ich wohne in ... Das ist in ...
(Familie) Ich habe ... Er / Sie heißt ... / ist ... / hat ...
(Haustiere) Ich habe ... Er / Sie / Es heißt ... / ist ... / hat ...
(Haare / Augen / Wie bist du?) Ich habe ... Ich bin ...
Schreib bald!
Dein / Deine

Lernzieltest

Check that you can:

1

●	Ask someone about their family	*Hast du Geschwister?*
●	Tell them about your family	*Ich habe einen Bruder, er heißt …*
G	Use *mein / meine* and *dein / deine* correctly	*Mein Onkel heißt …* *Das ist deine Mutter.*
G	Use *er / sie* correctly	*Er ist schlank. Sie hat grüne Augen und kurze Haare.*

2

G	Use adjectives and nouns to say what you look like	*Ich bin klein. Ich habe lange, blonde Haare.*
●	Ask what other people look like	*Wie sieht sie aus?*
●	Talk about people's appearance	*Sie hat blaue Augen und braune Haare.*

3

●	Ask about people's character	*Wie bist du?*
●	Talk about your character	*Ich bin sportlich und lustig.*
G	Use *und, aber* and *auch* to expand your sentences	*Er ist intelligent und auch kreativ.* *Sie ist lustig, aber faul.*
G	Use qualifiers to give more detail	*Ich bin ziemlich sportlich und sehr lustig.*

4

●	Ask someone which pets they have	*Hast du ein Haustier?*
●	Say which pets you have	*Ich habe einen Hund.*
G	Find out and use the plurals of nouns	*Ich habe zwei Katzen und zwei Pferde.*

5

●	Understand and use phrases to start and finish an email to a friend	*Hallo, wie geht's?* *Schreib bald, dein(e) …*
●	Remember three things to help find out the meaning of a new word	e.g. Does it look the same as in English?

Wiederholung

hören 1

Hör zu. Theos Familie. Wie ist die richtige Reihenfolge?
Beispiel: e ...

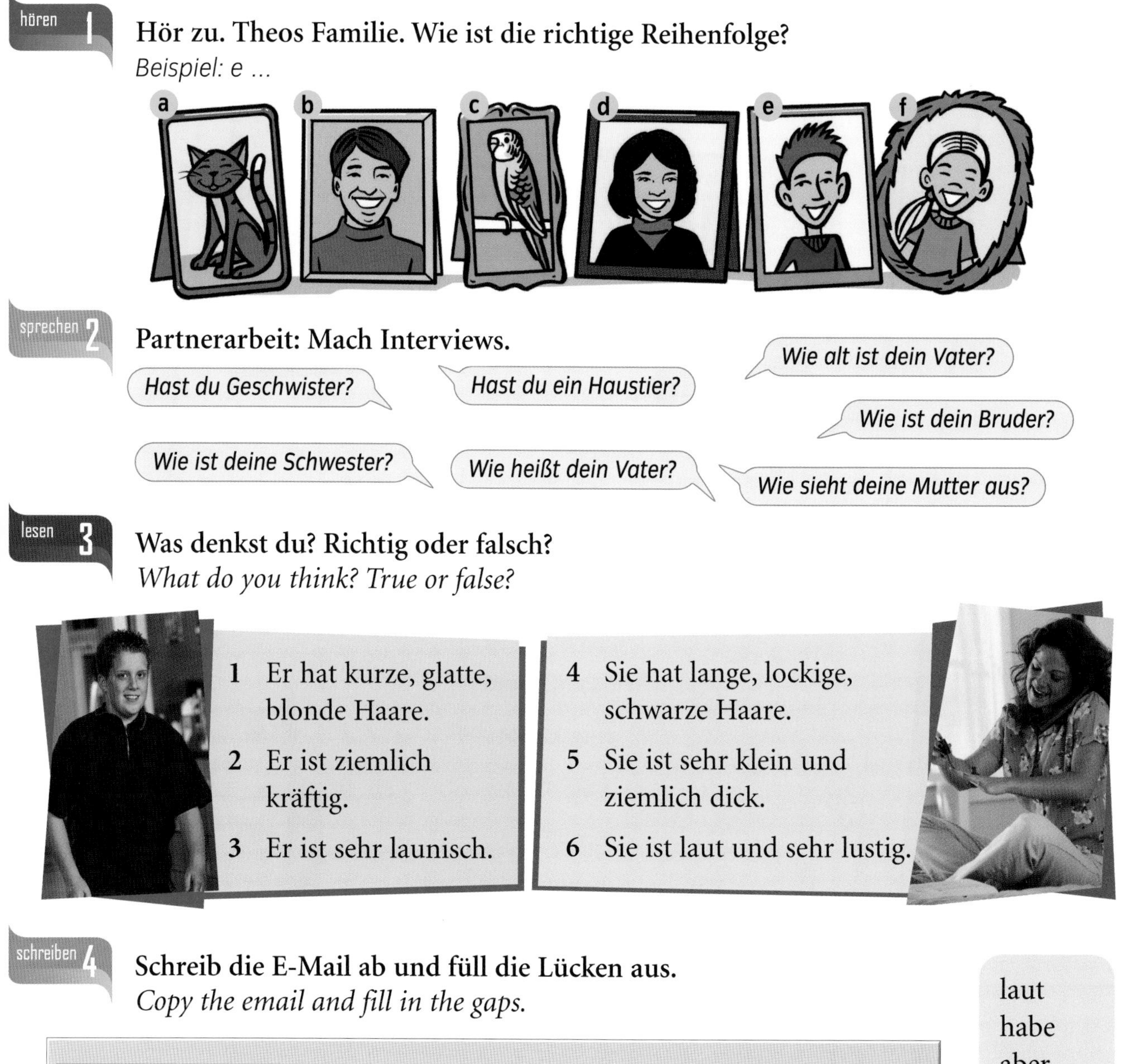

sprechen 2

Partnerarbeit: Mach Interviews.

Hast du Geschwister?
Hast du ein Haustier?
Wie alt ist dein Vater?
Wie ist dein Bruder?
Wie ist deine Schwester?
Wie heißt dein Vater?
Wie sieht deine Mutter aus?

lesen 3

Was denkst du? Richtig oder falsch?
What do you think? True or false?

1 Er hat kurze, glatte, blonde Haare.
2 Er ist ziemlich kräftig.
3 Er ist sehr launisch.

4 Sie hat lange, lockige, schwarze Haare.
5 Sie ist sehr klein und ziemlich dick.
6 Sie ist laut und sehr lustig.

schreiben 4

Schreib die E-Mail ab und füll die Lücken aus.
Copy the email and fill in the gaps.

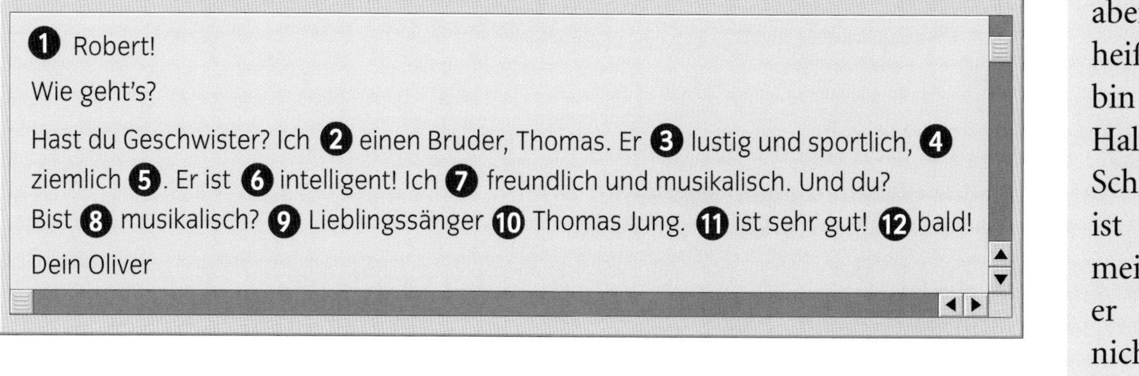
❶ Robert!
Wie geht's?
Hast du Geschwister? Ich ❷ einen Bruder, Thomas. Er ❸ lustig und sportlich, ❹ ziemlich ❺. Er ist ❻ intelligent! Ich ❼ freundlich und musikalisch. Und du? Bist ❽ musikalisch? ❾ Lieblingssänger ❿ Thomas Jung. ⓫ ist sehr gut! ⓬ bald!
Dein Oliver

laut
habe
aber
heißt
bin
Hallo
Schreib
ist
mein
er
nicht
du

schreiben 5

Beantworte die E-Mail aus Aufgabe 4.

Benjamin Braun – Filmstar!

hören 1

Hör zu. Finde im Steckbrief fünf Fehler.

schreiben 2

Beantworte die Fragen über Benjamin. Schreib einen Absatz.
Answer the questions about Benjamin Braun. Write a paragraph.
Beispiel: Er ist neunzehn Jahre alt. Er hat ...

1 Wie alt ist er?
2 Wann hat er Geburtstag?
3 Wo wohnt er?
4 Hat er eine Freundin?
5 Hat er Geschwister?
6 Hat er ein Haustier?
7 Wie sieht er aus?
8 Wie ist er?

Partnerarbeit: berühmte Leute. Wer ist das?
Pairwork: famous people. Who is it?

- ■ Wie alt ist er / sie?
- ● Sie ist (ungefähr dreißig) Jahre alt.
- ■ Wo wohnt sie?
- ● Sie wohnt in (Amerika).
- ■ Wie sieht sie aus?
- ● Sie hat (rote) Haare und (blaue) Augen. Sie ist (groß).

- ■ Das ist (Cameron Diaz).
- ● Nein, falsch!
- ■ Das ist (Nicole Kidman).
- ● Ja, richtig!

ungefähr = *about*

Can you think of a famous person from Germany, Austria or Switzerland for each of these categories?

Film star

Sportsperson

Musician

Where could you find information about one of these people?

lesen 4 **Lies den Text und füll die Tabelle aus.**

Nouns	Verbs	Adjectives	Connectives	Qualifiers
Skimeisterin				

Alexandra Meissnitzer wohnt in Salzburg, in Österreich. Sie ist österreichische Skimeisterin, einundzwanzig Jahre alt und hat am achtzehnten Juni Geburtstag. Alexandra ist natürlich sehr sportlich und hat oft Training. Sie ist sehr freundlich, aber manchmal auch schüchtern. Ihre Freunde finden sie sehr intelligent.

Alexandra ist sehr attraktiv – sie ist ziemlich groß (1,65 m) und schlank. Sie hat glatte, dunkelbraune Haare und blaue Augen. Ihr Lieblingsessen ist Nudeln. Dazu trinkt sie Fruchtsaft oder Bier mit Limonade. Sie findet das sehr lecker. Was sind Alexandras Hobbys? Volleyball, Bücher und Musik – Techno, House und Oldies.

Remember, nouns are always written with a capital letter in German, which makes them easy to spot.

sprechen 5 **Minivortrag: eine berühmte Person.**
Mini-presentation about a famous person.

Beispiel:

> *Benjamin Braun ist neunzehn Jahre alt. Er wohnt in Deutschland. Er hat eine Freundin: sie heißt ...*

Schreib einen Absatz über eine berühmte Person.

Geschwister	***Brothers and sisters***
Hast du Geschwister?	*Do you have any brothers and sisters?*
Ich habe …	*I have …*
einen Bruder.	*a brother.*
einen Halbbruder.	*a half-brother.*
einen Stiefbruder.	*a stepbrother.*
zwei Brüder.	*two brothers.*
eine Schwester.	*a sister.*
eine Halbschwester.	*a half-sister.*
eine Stiefschwester.	*a stepsister.*
zwei Schwestern.	*two sisters.*
Ich bin Einzelkind.	*I am an only child.*

Familie	***Family***
Das ist …	*That's ...*
mein Vater.	*my father.*
mein Stiefvater.	*my stepfather.*
mein Großvater.	*my grandfather.*
mein Cousin.	*my cousin (male).*
mein Onkel.	*my uncle.*
mein Bruder.	*my brother.*
meine Mutter.	*my mother.*
meine Stiefmutter.	*my stepmother.*
meine Großmutter.	*my grandmother.*
meine Schwester.	*my sister.*
meine Tante.	*my aunt.*
meine Cousine.	*my cousin (female).*
Ist das (dein Onkel)?	*Is that (your uncle)?*
dein Bruder	*your brother*
dein Vater	*your father*
dein Stiefvater	*your stepfather*
dein Großvater	*your grandfather*
dein Cousin	*your cousin (male)*
deine Mutter	*your mother*
deine Stiefmutter	*your stepmother*
deine Schwester	*your sister*
deine Großmutter	*your grandmother*
deine Tante	*your aunt*
deine Cousine	*your cousin (female)*
Wie heißt er / sie?	*What is he / she called?*
Er / Sie heißt …	*He / She is called …*
Wie alt ist er / sie?	*How old is he / she?*
Er / Sie ist elf Jahre alt.	*He / She is eleven years old.*

Wie siehst du aus?	***What do you look like?***
Ich habe …	*I have …*
Du hast …	*You have …*
Er hat …	*He has …*
Sie hat …	*She has …*
blaue Augen.	*blue eyes.*
braune Augen.	*brown eyes.*
graue Augen.	*grey eyes.*
grüne Augen.	*green eyes.*
braune Haare.	*brown hair.*
blonde Haare.	*blond hair.*
rote Haare.	*red hair.*
schwarze Haare.	*black hair.*
lange Haare.	*long hair.*
kurze Haare.	*short hair.*
glatte Haare.	*straight hair.*
lockige Haare.	*curly hair.*
Ich bin …	*I am …*
Du bist …	*You are …*
Er / Sie ist …	*He / She is …*
groß.	*tall.*
mittelgroß.	*medium height.*
klein.	*short.*
schlank.	*slim.*
kräftig.	*strong.*
dick.	*fat.*

Wie bist du?	***What are you like?***
Wie bist du?	*What are you like?*
Ich bin (freundlich).	*I am (friendly).*
Wie ist er / sie?	*What is he / she like?*
Er / Sie ist …	*He / She is …*
lustig.	*funny.*
laut.	*noisy.*
schüchtern.	*shy.*
intelligent.	*intelligent.*
sportlich.	*sporty.*
musikalisch.	*musical.*
kreativ.	*creative.*

faul.	*lazy.*
launisch.	*moody.*
unpünktlich.	*unpunctual.*
nicht	*not*
sehr	*very*
ziemlich	*fairly*

Haustiere	***Pets***
Hast du ein Haustier?	*Do you have a pet?*
Ich habe …	*I have …*
einen Goldfisch.	*a goldfish.*
zwei Goldfische.	*two goldfish.*
einen Hamster.	*a hamster.*
vier Hamster.	*four hamsters.*
einen Hund.	*a dog.*
drei Hunde.	*three dogs.*
einen Wellensittich.	*a budgie.*
sechs Wellensittiche.	*six budgies.*
eine Katze.	*a cat.*
sieben Katzen.	*seven cats.*
eine Schildkröte.	*a tortoise.*
zwei Schildkröten.	*two tortoises.*
eine Schlange.	*a snake.*
neun Schlangen.	*nine snakes.*
ein Kaninchen.	*a rabbit.*
fünf Kaninchen.	*five rabbits.*
ein Meerschweinchen.	*a guinea pig.*
zehn Meerschweinchen.	*ten guinea pigs.*
ein Pferd.	*a horse.*
acht Pferde.	*eight horses.*
Ich habe keine Haustiere.	*I don't have any pets.*

Strategie 3

Useful words

Some little words in German come up over and over again in different situations: we call them 'high frequency words'. They are extremely useful, so it's well worth learning them.

See if you can identify some high frequency words on pages 38–39, and make a list. Think about what the word means in English. Is this something you often use? Here are two to start you off:

ich = *I*
sehr = *very*

4 Freizeit

1 Sport

Talking about sports
Using *gern* to show what you like doing

hören 1

Hör zu. Was passt zusammen? (1–12)
Beispiel: ***1*** *e*

sprechen 2

Partnerarbeit: Was machst du?

- Spielst du (Rugby)?
- Ja, ich spiele (Rugby).
- Gehst du (angeln)?
- Nein, ich gehe nicht (angeln).

ECHO • Detektiv

Remember the present tense regular verb endings:

spielen – *to play*	**gehen – *to go***
ich spiel**e**	ich geh**e**
du spiel**st**	du geh**st**
er / sie spiel**t**	er / sie geh**t**

Lern weiter ➡ 5.2, Seite 118

Pronouncing cognates

Remember that these words will sound different in German, even though they look like the English words.

Hör zu und wiederhole.

Fußball, Fußball, Fußball
Basketball, Basketball, Basketball
Volleyball, Volleyball, Volleyball
Rugby, Rugby, Rugby!

schreiben 3

Spielen oder gehen? Schreib Sätze.

Beispiel: **1** Er spielt Tennis.

1 Er  2 Sie 3 Du 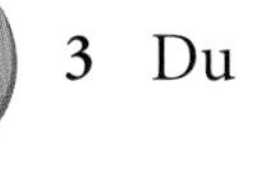 4 Ich  5 Sie

hören 4

Hör zu und lies. Schreib die richtigen Buchstaben auf.

Beispiel: Viktor – c, ...

Mein Name ist **Viktor**. Sport ist mein Lieblingsfach in der Schule. Ich spiele gern Federball, aber ich spiele nicht gern Basketball. Federball macht Spaß, aber Basketball ist furchtbar – der Lehrer ist doof!
Meine Freundin **Julia** ist auch sehr sportlich. Sie spielt gern Federball und Fußball, aber sie geht nicht gern schwimmen. Sie findet es langweilig und kalt!
Peter ist gar nicht sportlich und spielt nicht gern Fußball. Er findet es schwierig und ein bisschen langweilig! Aber **Stefanie** ist sehr sportlich. Sie spielt gern Fußball in der Schule und geht gern schwimmen in ihrer Freizeit. Sie findet das alles toll!

ECHO • Detektiv

Gern

The word **gern** just after the verb shows you like doing something:

Ich spiele **gern** Fußball.
I like playing football.

Use **nicht gern** to show you don't like doing something:

Ich spiele **nicht gern** Volleyball.
I don't like playing volleyball.

Lern weiter ➡ 9, Seite 125

macht Spaß = *is fun*
kalt = *cold*

sprechen 5

Partnerarbeit: Stell sechs Fragen und notier die Antworten.

Beispiel: **1** *Tennis ✓ toll.*

- ■ Spielst du gern (Tennis)?
- ● Ja, ich spiele gern (Tennis). Ich finde es (toll!)
- ■ Gehst du gern (wandern)?
- ● Nein, ich gehe nicht gern (wandern). Ich finde es (langweilig).

Spielst / Gehst	du	gern	Tennis / Fußball / ... / schwimmen / reiten / ...
Ja, ich gehe / spiele gern ...			
Nein, ich gehe / spiele nicht gern ...			
Ich finde es	toll einfach / interessant / doof / schwierig / langweilig.		

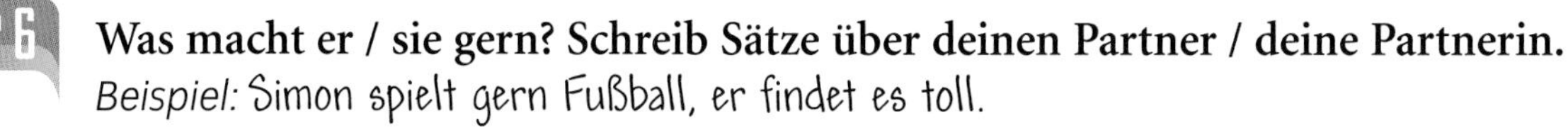

schreiben 6

Was macht er / sie gern? Schreib Sätze über deinen Partner / deine Partnerin.

Beispiel: Simon spielt gern Fußball, er findet es toll.

schreiben 7

Verbinde deine Sätze aus Aufgabe 6 und schreib einen Text.

Join your sentences from Exercise 6 and write a text.

Beispiel: Simon spielt gern Fußball und er geht gern schwimmen, aber er geht nicht gern reiten.
Er findet Schwimmen toll, aber ...

Use *und* and *aber* to make your sentences longer.

2 Hobbys und Lieblingssachen

Talking about your hobbies and favourite things
Using *sein* (his) and *ihr* (her)

hören 1

Rate mal: Was sind diese Hobbys? Hör zu und überprüfe es. (1–12)
Beispiel: ***1*** *e*

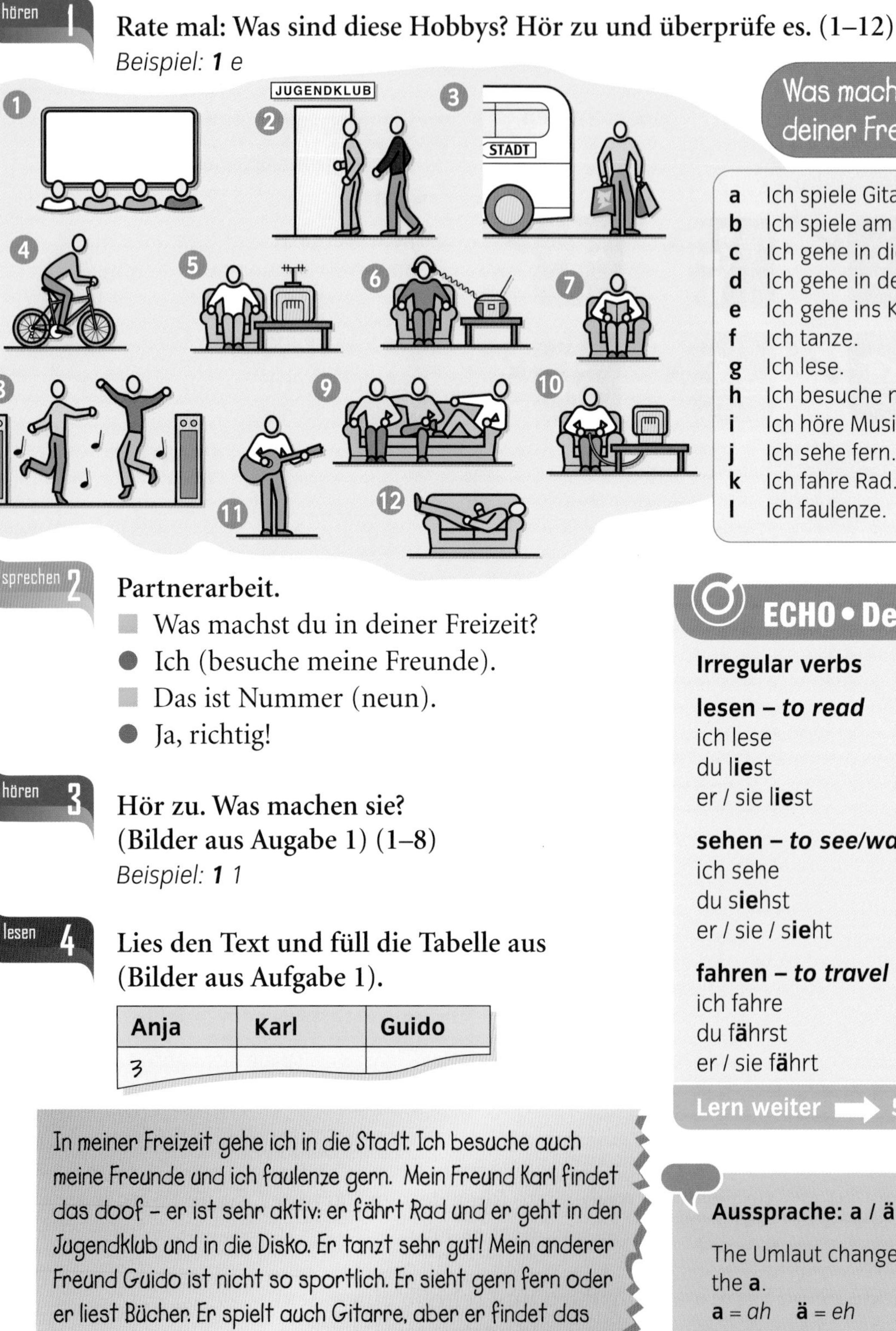

Was machst du in deiner Freizeit?

a Ich spiele Gitarre.
b Ich spiele am Computer.
c Ich gehe in die Stadt.
d Ich gehe in den Jugendklub.
e Ich gehe ins Kino.
f Ich tanze.
g Ich lese.
h Ich besuche meine Freunde.
i Ich höre Musik.
j Ich sehe fern.
k Ich fahre Rad.
l Ich faulenze.

sprechen 2

Partnerarbeit.

- Was machst du in deiner Freizeit?
- Ich (besuche meine Freunde).
- Das ist Nummer (neun).
- Ja, richtig!

hören 3

Hör zu. Was machen sie? (Bilder aus Augabe 1) (1–8)
Beispiel: ***1*** *1*

lesen 4

Lies den Text und füll die Tabelle aus (Bilder aus Aufgabe 1).

Anja	Karl	Guido
3		

In meiner Freizeit gehe ich in die Stadt. Ich besuche auch meine Freunde und ich faulenze gern. Mein Freund Karl findet das doof – er ist sehr aktiv: er fährt Rad und er geht in den Jugendklub und in die Disko. Er tanzt sehr gut! Mein anderer Freund Guido ist nicht so sportlich. Er sieht gern fern oder er liest Bücher. Er spielt auch Gitarre, aber er findet das schwierig. Er spielt sehr laut, aber ziemlich schlecht!

Anja

ECHO • Detektiv

Irregular verbs

lesen – *to read*
ich lese
du l**ie**st
er / sie l**ie**st

sehen – *to see/watch*
ich sehe
du s**ie**hst
er / sie / s**ie**ht

fahren – *to travel*
ich fahre
du f**ä**hrst
er / sie f**ä**hrt

Lern weiter ➡ 5.3, Seite 119

Aussprache: a / ä

The Umlaut changes the sound of the **a**.
a = *ah*   **ä** = *eh*

Hör zu. Ist das „a" oder „ä"? (1–5)

lesen 5

Lies den Text. Füll die Lücken unten aus.

Kiki findet schnelle Autos toll!
Ihr Lieblingsauto ist ein ___1___.
Sie ist auch Fußballfan. Ihre
Lieblingsmannschaft ist ___2___.
Ihre Lieblingsfarbe ist ___3___.
Maxi Maus ist ihr Freund. Sein
___4___ ist Fußball. Sein ___5___
ist eine Katze, und seine ___6___
ist „Tom und Jerry", natürlich!

ECHO • Detektiv

sein = *his* **ihr** = *her*

Just like *ein*, *mein* and *dein*, **sein** and **ihr** change with the noun they are describing.

m **Sein / Ihr** Lieblingssport ist Tennis.
f **Seine / Ihre** Lieblingsfarbe ist Grün.
n **Sein / Ihr** Lieblingsauto ist ein VW.

Lern weiter ➡ 2.7, Seite 115

hören 6

Hör zu und überprüfe es.

sprechen 7

Partnerarbeit: Interviews über Hobbys und Lieblingssachen. Mach Notizen.

- ■ Was machst du gern in deiner Freizeit?
- ● Ich (spiele) gern (am Computer) und ich (gehe) gern (ins Kino).
- ■ Was ist dein (Lieblingssport)?
- ● Mein Lieblingssport ist (Federball).

mein dein sein ihr	Lieblingssport Lieblingshaustier Lieblingsauto
meine deine seine ihre	Lieblingsmusik Lieblingsfarbe Lieblingsmannschaft Lieblingszahl Lieblingssendung

schreiben 8

Schreib über deinen Partner / deine Partnerin.

Beispiel: Emily spielt gern am Computer. Sie findet das toll! Sie geht auch gern ins Kino. Ihr Lieblingsauto ist ein Mercedes und ihr Lieblingssport ist ...

3 Wie oft spielst du Fußball?

Saying how often you do things
Using *wir* (we)

hören 1 **Hör zu und lies.**

lesen 2 **Wer ist das?**
Beispiel: ***a*** *Peter*

hören 3 **Hör zu und mach Notizen (1–6).**
Beispiel: Schwimmen, x 2 pro Woche

	Mo.	Di.	Mi.	Do.	Fr.	Sa.	So.
a	✓	✓	✓	✓	✓	✓	✓
b						✓	✓
c	✓		✓		✓		
d							
e					✓		

sprechen 4 **Partnerarbeit.**
- Wie oft (spielst du Fußball)?
- (Jeden Tag). Und du?
- (Zweimal pro Woche.)
- Wie oft gehst du …?

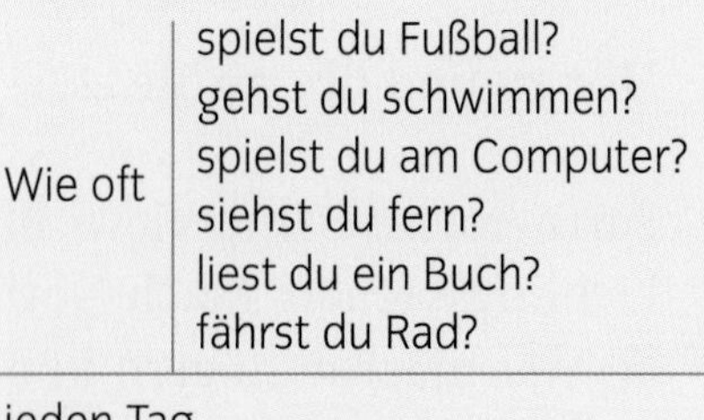

Wie oft
- spielst du Fußball?
- gehst du schwimmen?
- spielst du am Computer?
- siehst du fern?
- liest du ein Buch?
- fährst du Rad?

jeden Tag
einmal / zweimal / dreimal pro Woche
am Wochenende
immer / oft / manchmal / nie

schreiben 5 **Wie oft machst du das? Schreib Sätze.**
Beispiel: ***1*** Ich gehe zweimal pro Woche schwimmen.

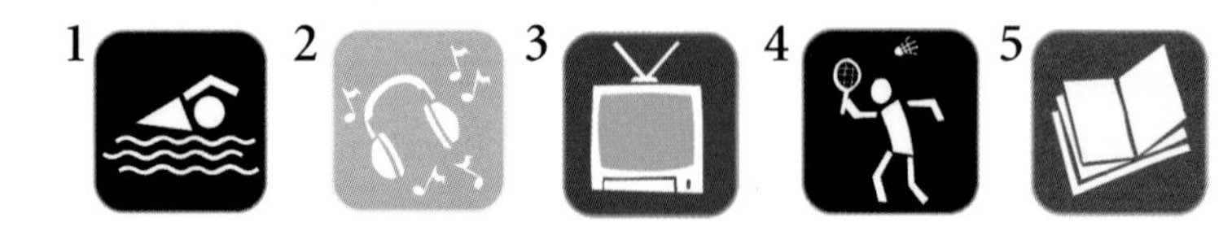

Ich gehe … schwimmen.
Ich spiele … Federball.
Ich lese … ein Buch.
Ich höre … Musik.
Ich sehe … fern.

hören **6**

Hör zu und lies den Brief von Viktor.

Poststraße 72
D-35921 Rotesheim

Rotesheim, den 23. März

Lieber James,

danke für deinen Brief. Wie geht's?

Naja, für mich ist die Schule immer so langweilig, aber am Wochenende gehen wir oft ins Stadion und sehen ein Fußballspiel. Das ist immer toll! Meine Lieblingsmannschaft ist Dynamo Dresden. Wir gewinnen am Samstag vier zu null (hoffentlich!). Spielst du gern Fußball? Hast du eine Lieblingsmannschaft?

Meine Cousine spielt jeden Tag Basketball. Ich spiele keinen Basketball – das finde ich langweilig! Aber wir spielen manchmal am Wochenende Tischtennis. Das ist okay. Wir fahren auch Rad, aber nicht oft.

Ich besuche manchmal meine Freunde. Wir faulenzen und spielen am Computer (mein Lieblingsspiel ist Tombraider!). Wir sehen auch sehr oft fern. Meine Lieblingssendung heißt „Sportschau". Hast du eine Lieblingssendung?

Was machst du gern mit deinen Freunden?

Schreib bald!

Dein Viktor

wir gewinnen = *we'll win*
hoffentlich = *hopefully*

Writing letters

What do these useful words and phrases mean?

Liebe(r)
Danke für deinen Brief
Schreib bald!
Dein(e)

ECHO • Detektiv

Saying 'we' in German

wir = *we*

The verb ending for **wir** is **-en**:

Wir spiel**en** Basketball. = *We play basketball.*
Wir geh**en** ins Kino. = *We go to the cinema.*
Wir tanz**en**. = *We dance.*
Wir les**en**. = *We read.*
Wir besuch**en** Freunde. = *We visit friends.*

Find the German for these in Viktor's letter:
We play = ?
We laze around = ?
We watch = ?

Lern weiter ➡ 5.2, Seite 118

lesen **7**

Schreib die Sätze zu Ende.

1 Viktors Lieblingsmannschaft ist …
2 Viktors Cousine spielt …
3 Viktor und seine Cousine spielen …
4 Viktor besucht manchmal …
5 Viktor und seine Freunde …
6 Viktors Lieblingssendung …

schreiben **8**

Schreib einen Brief an Viktor. Beantworte seine Fragen.

Write a letter to Viktor.
Answer his questions.

Mini-Test • Check that you can

1. Talk about sports and hobbies, using gern
2. Remember the present tense endings of spielen, a regular verb
3. Tell someone about your favourite things
4. Talk about other people's favourite things using sein and ihr
5. Say how often you do things
6. Talk about what you do with your friends, using wir

4 Möchtest du ins Kino gehen?

Arranging to go out and when to meet
Using *möchtest du ... ?* (would you like ... ?) with an infinitive

hören **1**

Hör zu und lies.

Stefanie: Hallo Peter. Hast du am Samstag Zeit? Möchtest du Fußball spielen?
Peter: Nein, das mag ich nicht.

Stefanie: Hm … Möchtest du in die Disko gehen?
Peter: Nein danke, das ist langweilig!

Stefanie: Möchtest du ins Kino gehen?
Peter: Ja, gern!

Stefanie: Wann treffen wir uns?
Peter: Hm … Um sieben Uhr?
Stefanie: Ja, gut. Tschüs, bis Samstag!

lesen **2**

Finde Stefanies Frage für jede Antwort.
Find Stefanie's question for each answer.
Beispiel: **1** *Möchtest du ins Kino gehen?*

1 Ja, gern!
2 Nein danke, das ist langweilig!
3 Nein, das mag ich nicht.
4 Um sieben Uhr?

schreiben **3**

Schreib die Fragen auf.
Beispiel: **1** Möchtest du Federball spielen?

ECHO • Detektiv

Möchtest du ...? =
Would you like ...?

This can be used with an infinitive, e.g. **spielen, gehen, sehen**.
The infinitive is always at the end of the sentence.

What do these questions mean?
Möchtest du Tennis **spielen**? = ?
Möchtest du ins Kino **gehen**? = ?

Lern weiter ➡ 5.8, Seite 122

Aussprache: o / ö

The Umlaut changes the sound of the **o**.
o = *oh*
ö = *er (as in 'her')*

Hör zu. Ist das „o" oder „ö"? (1–5)

sprechen 4

Partnerarbeit: Mach vier Dialoge.

- ■ Hast du am (Samstag) Zeit? Möchtest du (Tennis) spielen?
- ● (Ja, gern. / Nein, das mag ich nicht.)

Hast du am … Donnerstag / Freitag / Samstag / Sonntag … Zeit?		
Möchtest du …	Fußball / Tennis / Basketball	spielen?
	in die Stadt / in den Jugendklub / in die Disko	gehen?
Nein, das ist langweilig. Nein, das mag ich nicht.	Ja, gern. Ja, das mag ich.	

hören 5

Hör zu und füll die Tabelle aus. (1–3)

	Tag?	Was?	Wann?
Viktor	Sa.		
Julia			
Nina			

Wann treffen wir uns?
Um … Uhr.
Bis dann. / Bis Samstag.

lesen 6

Richtig oder falsch? Sieh deine Notizen von Aufgabe 5 an.

Beispiel: ***1*** *richtig*

1 Am Samstag spielt Viktor um zehn Uhr Fußball.
2 Am Sonntag geht Julia in die Disko.
3 Am Sonntag geht Nina in die Stadt.
4 Am Freitag um sechs Uhr geht Julia in die Disko.
5 Um elf Uhr spielt Nina Tennis.

ECHO • Detektiv

In German sentences, the **verb** is always the **second idea** in the sentence.

1	2	3
Nina	**spielt**	um elf Uhr Tennis.
Um elf Uhr	**spielt**	Nina Tennis.

Lern weiter → 6.2, Seite 123

lesen 7

Lies die SMS-Texte. Schreib sie in der richtigen Reihenfolge auf.

Read the texts. Write them out in the correct order.

Beispiel: e – Hi! Möchtest du am Samstag in die Stadt gehen?
c – Nein, …

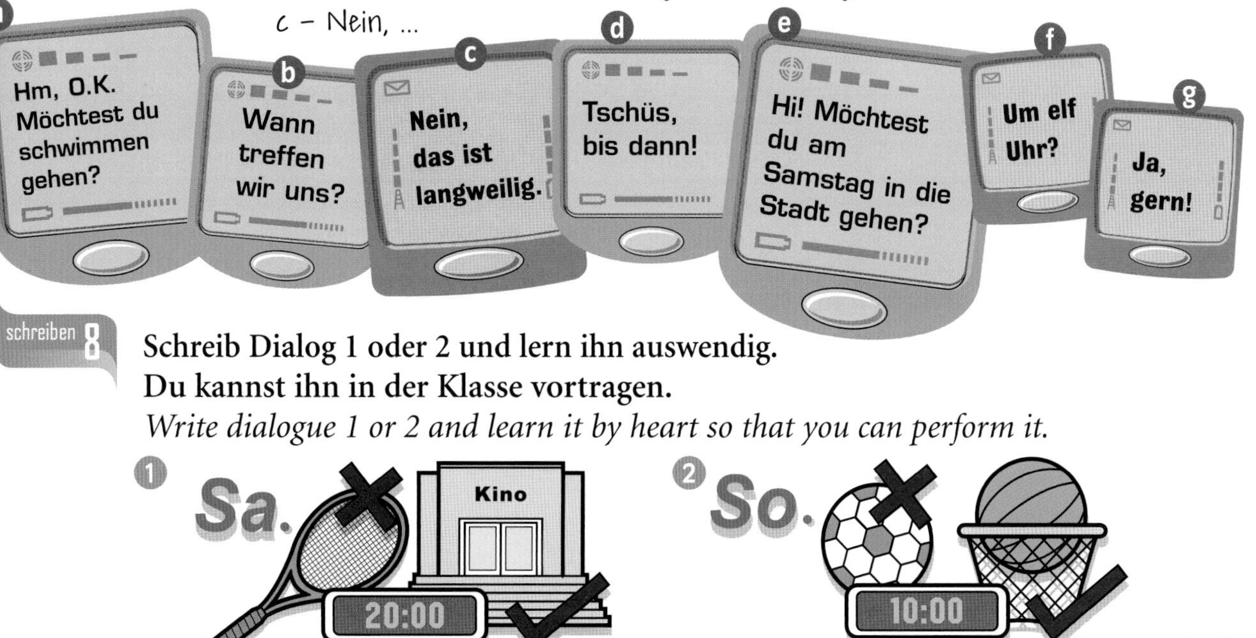

schreiben 8

Schreib Dialog 1 oder 2 und lern ihn auswendig. Du kannst ihn in der Klasse vortragen.

Write dialogue 1 or 2 and learn it by heart so that you can perform it.

Understanding information about an adventure sports centre
Using *man kann* to say what activities there are

hören **1** Hör zu und lies. Finde die richtigen Wörter für die Fotos.
Beispiel: ***1*** *schwimmen*

Abenteuerzentrum Spitzberg

WILLKOMMEN | NATUR PUR | SPORTHALLE | KONTAKT

SUCHE ► Alle Produkte LOS!

Was ist dein Lieblingssport?

Kommt zum Abenteuerzentrum Spitzberg! Hier in den Bergen kann man **Mountainbike fahren** – toll, aber schwierig! Man kann auch auf dem Spitzberg gut **klettern**, und richtige Abenteurer können dort **Wildwasser fahren**! Auf dem See kann man **Kanu fahren**, **segeln** oder **windsurfen**. Natürlich kann man auch **schwimmen** gehen. Abends oder bei schlechtem Wetter kann man mit neuen Freunden in der Sporthalle Tennis oder Tischtennis spielen. Magst du Teamsport? Volleyball- und Basketballplätze sind auch da.

Abenteuer in den Bergen Spielen in der freien Natur!

lesen **2** Wo kann man das machen? Finde die Antworten im Text.
Beispiel: ***1*** *auf dem See*

1 *Ich mag segeln.*
2 *Ich mag klettern.*
3 *Ich mag windsurfen.*
4 *Ich mag Volleyball spielen.*
5 *Ich mag Kanu fahren.*

auf dem Spitzberg
auf dem See
in der Sporthalle

lesen **3** Finde im Text die Wörter unten.

1 in bad weather
2 great but difficult!
3 with new friends
4 real adventurers
5 naturally
6 in the mountains

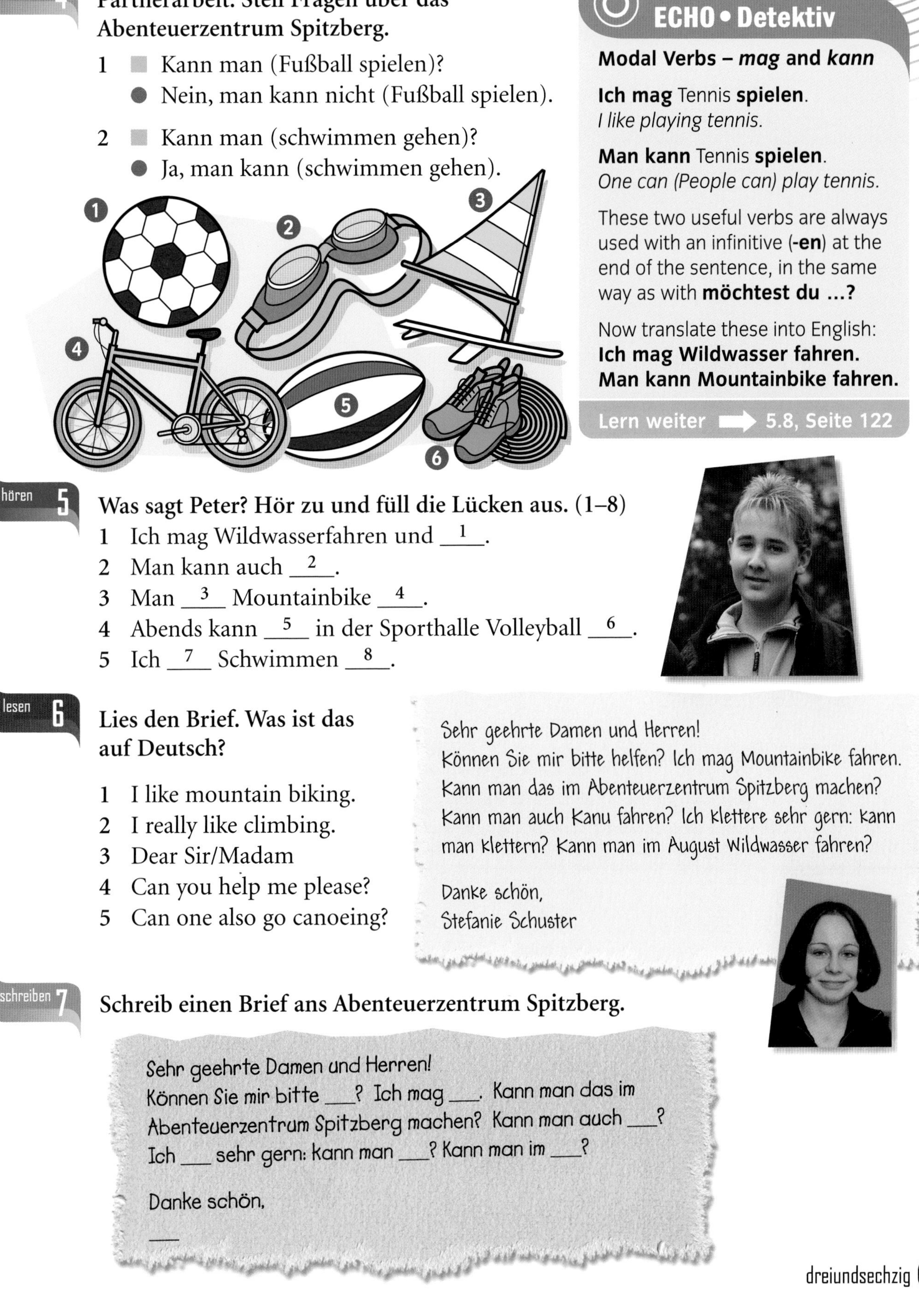

sprechen 4

Partnerarbeit: Stell Fragen über das Abenteuerzentrum Spitzberg.

1 ■ Kann man (Fußball spielen)?
 ● Nein, man kann nicht (Fußball spielen).

2 ■ Kann man (schwimmen gehen)?
 ● Ja, man kann (schwimmen gehen).

ECHO • Detektiv

Modal Verbs – *mag* and *kann*

Ich mag Tennis **spielen**.
I like playing tennis.

Man kann Tennis **spielen**.
One can (People can) play tennis.

These two useful verbs are always used with an infinitive (**-en**) at the end of the sentence, in the same way as with **möchtest du ...?**

Now translate these into English:
Ich mag Wildwasser fahren.
Man kann Mountainbike fahren.

Lern weiter ➡ 5.8, Seite 122

hören 5

Was sagt Peter? Hör zu und füll die Lücken aus. (1–8)

1 Ich mag Wildwasserfahren und __1__.
2 Man kann auch __2__.
3 Man __3__ Mountainbike __4__.
4 Abends kann __5__ in der Sporthalle Volleyball __6__.
5 Ich __7__ Schwimmen __8__.

lesen 6

Lies den Brief. Was ist das auf Deutsch?

1 I like mountain biking.
2 I really like climbing.
3 Dear Sir/Madam
4 Can you help me please?
5 Can one also go canoeing?

Sehr geehrte Damen und Herren!
Können Sie mir bitte helfen? Ich mag Mountainbike fahren. Kann man das im Abenteuerzentrum Spitzberg machen? Kann man auch Kanu fahren? Ich klettere sehr gern: kann man klettern? Kann man im August Wildwasser fahren?

Danke schön,
Stefanie Schuster

schreiben 7

Schreib einen Brief ans Abenteuerzentrum Spitzberg.

Sehr geehrte Damen und Herren!
Können Sie mir bitte ___? Ich mag ___. Kann man das im Abenteuerzentrum Spitzberg machen? Kann man auch ___? Ich ___ sehr gern: kann man ___? Kann man im ___?

Danke schön,

___

Lernzieltest

Check that you can:

1	●	Say which sports you do	*Ich spiele Fußball. Ich gehe schwimmen.*
	Ⓖ	Use the present tense endings of a regular verb like *spielen*	*Ich spiele Rugby, du spielst Rugby, er / sie spielt Rugby.*
	Ⓖ	Remember where to put *gern*, to show you like doing something	*Ich spiele gern Tennis.*
2	●	Say other things you do in your free time	*Ich sehe fern. Ich höre Musik.*
	Ⓖ	Remember the changes you have to make to some irregular verbs	*ich sehe / du siehst / er sieht*
	●	Talk about your favourite things	*Meine Lieblingsfarbe ist Blau; mein Lieblingsauto ist ein Mercedes.*
	Ⓖ	Understand the use of *sein* and *ihr* to talk about other people's favourite things	*Seine Lieblingsfarbe ist Grün; ihr Lieblingsauto ist ein Volkswagen.*
3	●	Say how often you do something	*Ich spiele oft Tennis – jeden Tag. Ich gehe manchmal schwimmen – zweimal pro Woche.*
	●	Remember how to start and finish a letter to a friend in German	*Liebe(r) …, Schreib bald! Dein(e) …*
	Ⓖ	Talk about what you do with your friends using *wir*	*Wir spielen Fußball und faulenzen.*
4	Ⓖ	Suggest going out, using *möchtest du …?* with an infinitive	*Möchtest du Fußball spielen? Möchtest du ins Kino gehen?*
	●	Say whether you want to do something or not	*Ja, gern. / Nein danke, das mag ich nicht.*
5	Ⓖ	Use *man kann* with an infinitive to talk about things people can do	*Man kann Kanu fahren; man kann Basketball spielen.*
	Ⓖ	Use *ich mag* with an infinitive to talk about what you like doing	*Ich mag schwimmen; ich mag Mountainbike fahren.*

1 Hör zu. Was machen sie gern?

Birgit | Thomas | Jakob | Elke | Sabine

Beispiel: Birgit – c

sprechen 2

Partnerarbeit: Was machst du gern?

- ■ Was machst du gern?
- ● Ich (gehe gern ins Kino).
- ■ Das ist Nummer (6).
- ● Richtig! Was machst du gern?

lesen 3

Macht Lisa das gern (✓) oder nicht gern (✗)?

Beispiel: ***1*** ✓

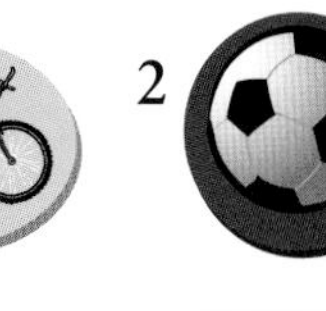

3, 4, 5, 6

Lisa ist sehr sportlich. Ihr Lieblingssport ist Mountainbike fahren. Das mag sie gern! Sie geht auch gern am Wochenende schwimmen. Lisa hört sehr gern Musik, aber sie hat keine Lieblingsgruppe. Sie sieht auch oft fern. Sie findet ihre Lieblingssendung, „Komödiestunde", sehr lustig. Sie geht nicht gern angeln und sie mag Fußball nicht.

schreiben 4

Schreib die Sätze auf.

Beispiel: Ich spiele gern Volleyball.

Beantworte die Fragen: Schreib einen Text über deine Freizeit.

Was machst du gern in deiner Freizeit?
Was machst du mit deinen Freunden?
Was ist dein Lieblingssport?
Wie oft machst du das?
Was machst du nicht gern?
Magst du lesen?

hören 1 Hör zu und lies.

Nina kommt nächste Woche Julia besuchen.

Leipzig, den 30. März

Liebe Nina,

danke für deinen Brief. Ich habe große Pläne für deinen Besuch nächste Woche!

Am Montag gehen wir ins Kino. Was ist dein Lieblingsfilm? Wir sehen den neuen Film von Benjamin Braun. Er ist super! Am Dienstag spielen wir mit meiner Cousine Tennis – sie spielt gut. Das ist mein Lieblingssport – hast du auch einen Lieblingssport? Am Mittwoch besuchen wir Stefanie und am Donnerstag gehen wir in die Stadt.

Gehst du gern in die Disko? Am Freitag haben wir eine Disko im Jugendklub. Viktor tanzt nicht sehr gut – das ist immer lustig! Man kann auch Tischfußball spielen, essen und trinken. Isst du gern Hamburger?

Dann haben wir das Wochenende! Am Samstag gehen wir ins Konzert. Wir treffen Viktor und Peter um sieben Uhr. Möchtest du am Sonntag faulenzen? Ich mag fernsehen. Meine Lieblingssendung, „Die Simpsons", kommt am Sonntag um achtzehn Uhr. Was ist deine Lieblingssendung?

Bis Montag!

Deine Julia

In her letter, Julia uses the present tense to talk about future plans. We do the same thing in English:
Am Montag gehen wir ins Kino.
On Monday we're going to the cinema.

lesen 2 Was sind die Pläne?

Beispiel: Montag – c

Montag
Dienstag
Mittwoch
Donnerstag
Freitag
Samstag
Sonntag

a b c d e f g

REGINA PALAST

lesen 3

Beantworte die Fragen.

*Beispiel: **1** Julia und Nina sehen den neuen Film von Benjamin Braun.*

1 Was sehen Julia und Nina am Montag?
2 Was ist Julias Lieblingssport?
3 Kann Viktor gut tanzen?
4 Was kann man am Freitag im Jugendklub machen?
5 Wann treffen sie Viktor und Peter?
6 Was machen Julia und Nina am Sonntag?

ECHO • Detektiv

sie = *they*

Sie also means *they* in German. The verb ending for **sie** is **-en** (the same as for **wir**):

Sie treff**en** *(they meet / they're meeting)*
Julia und Nina seh**en** (*Julia and Nina watch / are watching*)

Lern weiter ➡ 5.2, Seite 118

schreiben 4

Du bist Nina. Schreib einen Brief an Julia und beantworte ihre Fragen.

schreiben 5

Was sind deine Pläne für nächste Woche? Du hast einen Tag frei.

Mo.	Ich spiele Fußball.
Di.	Ich besuche Tom.
Mi.	FREI
Do.	Ich gehe ...
Fr.	...
Sa.	...
So.	...

sprechen 6

Gruppenarbeit: Wer hat am (Mittwoch) auch frei? Stell Fragen in der Klasse.

■ Möchtest du am (Mittwoch) ins Kino gehen?
● Nein, ich (spiele Fußball).
■ Möchtest du am (Mittwoch) ins Kino gehen?
◆ Ja, gern! Wann treffen wir uns?
■ Um (sechs Uhr)?
◆ Ja, gut. Tschüs, bis dann.

hören 7

Hör zu und sing mit.

Lieblingssachen

Meine Lieblingszahl ist vierzehn.
Deine Lieblingszahl ist zwei.
Seine Lieblingszahl ist zwanzig.
Ihre Lieblingszahl ist drei.

Farbe, Sport, Tier und Zahl,
Lieblingssachen überall.

Mein Lieblingssport ist Schwimmen.
Dein Lieblingssport ist Wandern.
Sein Lieblingssport ist Tennis.
Ihr Lieblingssport ist Angeln.

Farbe, Sport, Tier und Zahl,
Lieblingssachen überall.

Meine Lieblingsfarbe ist Orange.
Deine Lieblingsfarbe ist Blau.
Seine Lieblingsfarbe ist Lila.
Ihre Lieblingsfarbe ist Grau.

Farbe, Sport, Tier und Zahl,
Lieblingssachen überall.

Mein Lieblingshaustier ist eine Maus.
Dein Lieblingshaustier eine Giraffe.
Sein Lieblingshaustier ist eine Schlange.
Ihr Lieblingshaustier ist ein Affe.

Farbe, Sport, Tier und Zahl,
Lieblingssachen überall.

Sport	***Sport***
Ich spiele …	*I play …*
Ich spiele gern …	*I like playing …*
Ich spiele nicht gern …	*I don't like playing …*
Er / Sie spielt gern …	*He / She likes playing …*
Basketball.	*basketball.*
Federball.	*badminton.*
Fußball.	*football.*
Rugby.	*rugby.*
Tennis.	*tennis.*
Tischtennis.	*table tennis.*
Volleyball.	*volleyball.*
Spielst du gern …?	*Do you like playing …?*
Ich gehe …	*I go …*
Ich gehe gern …	*I like going …*
Ich gehe nicht gern …	*I don't like going …*
Er / Sie geht gern …	*He / She likes going …*
angeln.	*fishing.*
klettern.	*climbing.*
reiten.	*riding.*
schwimmen.	*swimming.*
segeln.	*sailing.*
wandern.	*hiking.*
windsurfen.	*windsurfing.*
Snowboard fahren	*snowboarding*
Wildwasser fahren	*whitewater rafting*
Kanu fahren	*canoeing*
Mountainbike fahren	*mountain biking*

Freizeit	***Free time***
Was machst du in deiner Freizeit?	*What do you do in your free time?*
Ich spiele Computerspiele.	*I play computer games.*
Ich spiele Gitarre.	*I play the guitar.*
Ich gehe in die Stadt.	*I go into town.*
Ich gehe in den Jugendklub.	*I go to the youth club.*
Ich gehe ins Kino.	*I go to the cinema.*
Ich besuche meine Freunde.	*I visit my friends.*
Ich fahre Rad.	*I go cycling.*
Ich faulenze.	*I laze around.*
Ich höre Musik.	*I listen to music.*
Ich lese.	*I read.*
Ich sehe fern.	*I watch TV.*
Ich tanze.	*I dance.*
Wir gehen ins Kino.	*We go to the cinema.*
Hörst du gern Musik?	*Do you like listening to music?*
Fährst du gern Rad?	*Do you like cycling?*
Liest du gern?	*Do you like reading?*
Siehst du gern fern?	*Do you like watching TV?*
Gehst du gern ins Kino?	*Do you like going to the cinema?*
Spielst du gern Tennis?	*Do you like playing tennis?*

Lieblingssachen	***Favourite things***
Was ist dein …	*What is your …*
Lieblingsauto?	*favourite car?*
Lieblingshaustier?	*favourite pet?*
Lieblingssport?	*favourite sport?*
Was ist deine …	*What is your …*
Lieblingssendung?	*favourite programme?*
Lieblingsmannschaft?	*favourite team?*
Lieblingsfarbe?	*favourite colour?*
Lieblingsmusik?	*favourite music?*
Lieblingszahl?	*favourite number?*
Mein / Meine … ist …	*My … is …*
Sein / Seine … ist …	*His … is …*
Ihr / Ihre … ist …	*Her … is …*

Wie oft?	***How often?***
Wie oft spielst du Fußball?	*How often do you play football?*
Wie oft gehst du schwimmen?	*How often do you go swimming?*
Wie oft spielst du am Computer?	*How often do you play on the computer?*
Wie oft siehst du fern?	*How often do you watch TV?*
Wie oft liest du ein Buch?	*How often do you read a book?*
Wie oft fährst du Rad?	*How often do you go cycling?*
Jeden Tag.	*Every day.*
Einmal pro Woche.	*Once a week.*

Am Wochenende.	*At the weekend.*
Oft.	*Often.*
Immer.	*Always.*
Manchmal.	*Sometimes.*
Nie.	*Never.*

Pläne	***Plans***
Hast du am Samstag Zeit?	*Have you got time on Saturday?*
Möchtest du …	*Would you like to …*
Fußball spielen?	*play football?*
Tennis spielen?	*play tennis?*
Basketball spielen?	*play basketball?*
ins Kino gehen?	*go to the cinema?*
in die Stadt gehen?	*go into town?*
in die Disko gehen?	*go to the disco?*
in den Jugendklub gehen?	*go to the youth club?*
Ja, gern.	*Yes, I would.*
Ja, das mag ich.	*Yes, I like that.*
Nein, das mag ich nicht.	*No, I don't like that.*
Nein, das ist langweilig.	*No, that's boring.*
Wann treffen wir uns?	*When shall we meet?*
Um … Uhr.	*At … o'clock.*
Bis dann.	*Till then.*
Bis Samstag.	*Till Saturday.*

Strategie 4

Meanings of verbs

When you need to check the meaning of a German verb in the dictionary, you will find it in the infinitive form – usually ending in **-en**. It's useful to practise working out what the infinitive of a verb will be, so that you can look them up easily – but be careful with irregular verbs!

Work out the infinitives of some verbs from *Kapitel 4*, and look them up. Here are three to start you off:

spiele ⟶ spielen = *to play*
liest ⟶ lesen = *to read*
hört ⟶ hören = *to listen*

5 Mein Zuhause

1 Wo wohnst du?

Saying where you live
Learning to read long words

hören 1

Was passt zusammen? Hör zu und überprüfe es.
Beispiel: ***1*** *b*

Wo wohnst du?

- a *Ich wohne in einem Dorf.*
- b *Ich wohne in einer Großstadt.*
- c *Ich wohne in einer Stadt.*
- d *Ich wohne an der Küste.*
- e *Ich wohne in den Bergen.*
- f *Ich wohne auf dem Land.*

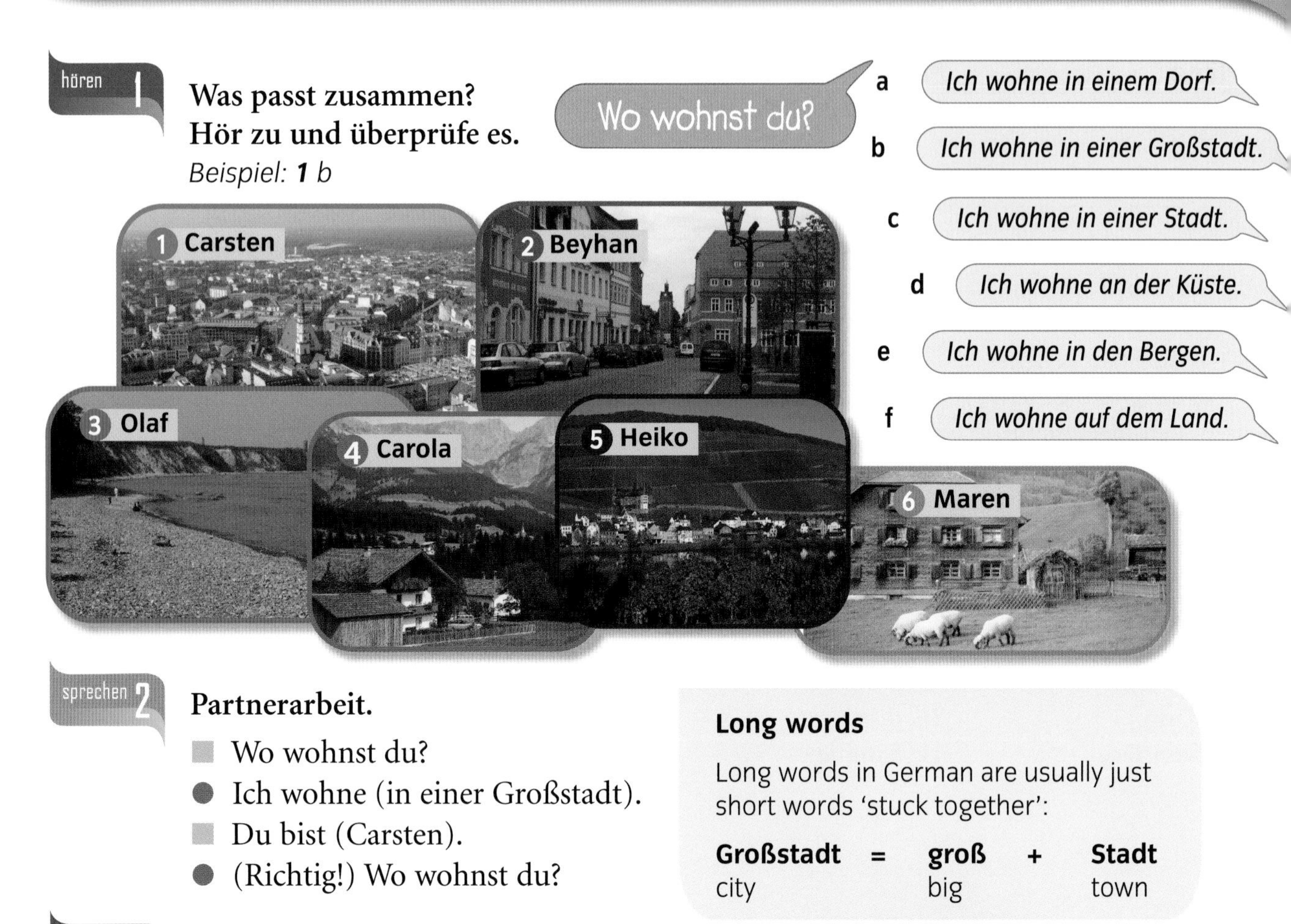

sprechen 2

Partnerarbeit.

- ■ Wo wohnst du?
- ● Ich wohne (in einer Großstadt).
- ■ Du bist (Carsten).
- ● (Richtig!) Wo wohnst du?

Long words

Long words in German are usually just short words 'stuck together':

Großstadt	=	**groß**	+	**Stadt**
city		big		town

hören 3

Hör zu. Was passt zusammen? (1–5)
Beispiel: ***1*** *c*

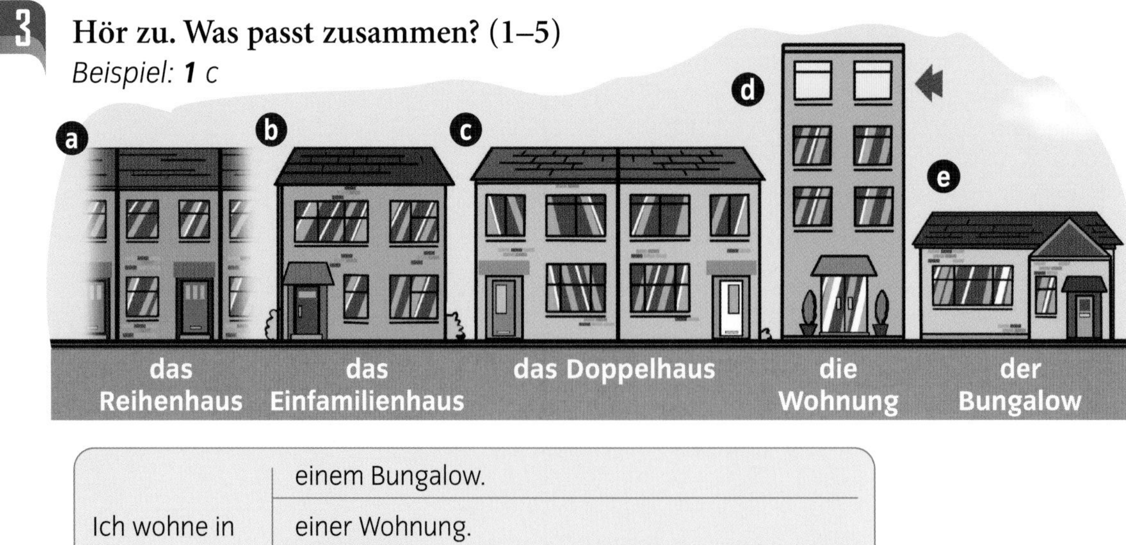

Ich wohne in	einem Bungalow.
	einer Wohnung.
	einem Einfamilienhaus / Doppelhaus / Reihenhaus.

schreiben 4

Wo wohnen sie? Schreib Sätze.

Beispiel: Sie wohnt in einem Reihenhaus an der Küste.

a

b

c

d

hören 5

Hör zu und lies.

Stefanie: Wie ist deine Adresse, Julia?
Julia: Meine Adresse ist Gartenstraße 50.
Stefanie: Wie bitte?
Julia: Gartenstraße 50.
Stefanie: O.K. … Und wie ist deine Telefonnummer?
Julia: Meine Telefonnummer ist 80 70 95.
Stefanie: Langsamer bitte.
Julia: 80 70 95.
Stefanie: Danke.

If you don't hear what someone says, you can say:

Wie bitte? *Pardon?*
Langsamer bitte. *More slowly, please.*

hören 6

Hör zu. Ergänze das Adressbuch.

Listen. Complete the address book.

Beispiel: ***a*** *71*

Name: Kati
Adresse: Ahornweg … a
Telefon: 42 … b 93

Name: Alex
Adresse: Lindenring … c
Telefon: … d 03 42

Name: Ulli
Adresse: Hafenstraße … e
Telefon: 41 92 … f

Name: Jana
Adresse: Adlerweg … g
Telefon: 35 23 … h

sprechen 7

Partnerarbeit.

■ Wo wohnst du?
● Ich wohne in (einem Reihenhaus in einer Stadt).
■ Gut. Wie ist deine Adresse?
● Meine Adresse ist (Crown Road fünfundneunzig).
■ Danke. Und wie ist deine Telefonnummer?
● Meine Telefonnummer ist (sechsundachtzig, vierundvierzig, achtzig).

schreiben 8

Schreib einen Text über deinen Partner / deine Partnerin.

Beispiel: Steve wohnt in … . Seine Adresse ist … und seine Telefonnummer ist … .
Sarah wohnt in … . Ihre Adresse ist … und ihre Telefonnummer ist … .

2 Mein Haus

Saying what you do in different rooms
Using *es gibt* to say what there is

hören **1** **Hör zu. Welches Zimmer ist das? (1–11)** *Listen. Which room is it?*
Beispiel: ***1*** *h*

lesen **2** **Lies die E-Mails und sieh dir das Bild in Aufgabe 1 an. Ist das Viktors oder Stefanies Haus?**
Read the emails and look at the picture in Exercise 1. Is it Viktor's or Stefanie's house?

schade = *a shame*
eigenes = *own*
leider = *unfortunately*

Hallo, Stefanie! Wie geht's?
Danke für deine E-Mail. Wir haben jetzt ein neues Haus. Es ist ziemlich groß – das finde ich sehr gut! Es gibt zwei Schlafzimmer und ein Badezimmer. Es gibt auch einen Balkon. Da spiele ich manchmal Gitarre. Was sonst? Es gibt eine Küche, ein Wohnzimmer und ein Esszimmer. Es gibt auch eine Garage und einen Garten. Ich kann dort Fußball spielen! Ach, ja – und es gibt einen Keller.
Viktor

Hi, Viktor!
Wie geht's? Mein Haus ist groß. Es gibt ein Wohnzimmer, ein Esszimmer und eine Küche, natürlich. Es gibt auch zwei Schlafzimmer und ein Badezimmer. Das ist schade – ich möchte mein eigenes Badezimmer!
Es gibt leider keinen Balkon, aber es gibt einen Garten und eine Garage – und einen Keller für Partys!
Stefanie

hören **3** **Was gibt es? Was gibt es nicht? Füll die Tabelle aus.**
What is there? What isn't there? Fill in the grid. (Use letters from exercise 1.)

	Peter	Julia
✓	h, ...	
✗		

ECHO • Detektiv

es gibt – *there is / there are*

Use *es gibt einen / eine / ein* to say there is something:

Es gibt einen Keller. *There is a basement.*

Use *es gibt keinen / keine / kein* to say there isn't something:

Es gibt keinen Keller. *There isn't a basement.*

Lern weiter ➡ 8, Seite 124

sprechen 4

Halte einen Vortrag.
Give a presentation.
Beispiel:

Ich wohne in einem Doppelhaus in einer Großstadt. Mein Haus ist groß. Es gibt vier Schlafzimmer … . Es gibt kein …

Mein Haus ist groß / mittelgroß / klein.

Es gibt	einen / keinen	Garten / Keller / Balkon / Dachboden.
	eine / keine	Küche / Toilette / Garage.
	ein / kein	Wohnzimmer / Esszimmer / Badezimmer.
	zwei / drei / vier	Schlafzimmer / Badezimmer / Toiletten.

hören 5

Was passt zusammen? Hör zu und überprüfe es.
Beispiel: ***1*** *b*

Vati = *Dad*
Mutti = *Mum*
Oma = *Grandma*
Opa = *Grandpa*

a Ich höre im Keller Musik.
b Ich spiele im Schlafzimmer am Computer.
c Ich koche in der Küche.
d Ich arbeite im Garten.
e Ich esse im Esszimmer.
f Ich lese im Badezimmer.
g Ich sehe im Wohnzimmer fern.
h Ich schlafe im Schlafzimmer.

schreiben 6

Was machst du in jedem Zimmer? Mach Notizen.
What do you do in each room? Make notes.
Beispiel: im Wohnzimmer – Pizza essen

sprechen 7

Partnerarbeit.
- Was machst du (im Wohnzimmer)?
- Ich (esse Pizza). Was machst du (in der Küche)?
- Ich (lese).

schreiben 8

Was macht dein Partner / deine Partnerin?
Beispiel: Steve isst im Wohnzimmer Pizza. Er …
Sarah … . Sie …

ECHO • Detektiv

Irregular verbs

	ich	du	er / sie
essen – *to eat*	esse	**i**sst	**i**sst
sehen – *to see*	sehe	s**ie**hst	s**ie**ht
lesen – *to read*	lese	l**ie**st	l**ie**st
schlafen – *to sleep*	schlafe	schl**ä**fst	schl**ä**ft

Lern weiter ➡ 5.3, Seite 119

3 In meinem Zimmer

Describing your room
Understanding that the verb has to be the second idea

hören 1 Hör zu und lies.

Hör zu. Welche Sachen werden genannt? (1–6)
Listen. Which things are mentioned?
Beispiel: ***1*** *d, …*

In meinem Zimmer	habe ich	einen / keinen	Schreibtisch / Computer / Kleiderschrank / Stuhl / Fernseher / Spiegel.
		eine / keine	Kommode / Lampe / Stereoanlage.
		ein / kein	Bett / Regal / Sofa.

Gedächtnisspiel.

- In meinem Zimmer habe ich (einen Kleiderschrank).
- In meinem Zimmer habe ich einen Kleiderschrank und (ein Bett) …

ECHO • Detektiv

In statements, the verb is always the second idea:

1st idea	*2nd idea*	
Ich	**habe**	einen Schreibtisch.
In meinem Zimmer	**habe**	ich einen Schreibtisch.

Lern weiter → 6.2, Seite 123

schreiben 4 **Schreib einen langen Satz über dein Zimmer.**
Write a long sentence about your room.
Beispiel: In meinem Zimmer habe ich ein Bett, eine Stereoanlage und auch …
In meinem Zimmer habe ich kein(en) …

hören 5 **Hör zu. Wie sind ihre Zimmer? (1–6)** *Listen. What are their rooms like?*

Beispiel: ***1** klein*

klein **groß** **hell** **dunkel** **ordentlich** **unordentlich**

lesen 6 **Wessen Zimmer ist das?** *Whose room is it?*

Mein Zimmer ist klein und hell, aber es ist sehr unordentlich. In meinem Zimmer habe ich einen Schreibtisch, einen Computer und einen Fernseher – und ein Bett, natürlich! Ich finde mein Zimmer gut.
Peter

Mein Zimmer ist nicht sehr groß und ziemlich dunkel. Es ist nicht sehr ordentlich. In meinem Zimmer habe ich ein Bett, einen Stuhl und einen Schreibtisch. Ich habe auch einen Computer, aber ich habe keinen Fernseher. Ich finde mein Zimmer O.K.
Heiko

Mein Zimmer ist klein und ziemlich hell. Es ist sehr unordentlich. In meinem Zimmer habe ich ein Bett, einen Schreibtisch, eine Stereoanlage und einen Computer. Ich finde mein Zimmer toll!
Viktor

lesen 7 **Korrigiere die Sätze.** *Correct the sentences.*

Beispiel: ***1** Peters Zimmer ist sehr unordentlich.*

1 Peters Zimmer ist ziemlich ordentlich.
2 Peter hat einen Schreibtisch und eine Stereoanlage.
3 Viktors Zimmer ist groß und unordentlich.
4 Viktor findet sein Zimmer doof.
5 Heikos Zimmer ist sehr klein und ziemlich hell.
6 Heiko hat einen Fernseher und einen Computer.

Some ways to make your sentences more interesting:
- Use connectives – **und** and **aber**.
- Use qualifiers – **sehr, ziemlich, nicht sehr**.
- Give opinions – *ich finde es* **toll / gut / O.K. / furchtbar**.

schreiben 8 **Wie ist dein Zimmer? Schreib einen Text.**

Beispiel:
Mein Zimmer ist sehr klein, aber ziemlich hell.
In meinem Zimmer habe ich ein Bett, einen Kleiderschrank und ... , aber ich habe kein Sofa.
Ich finde mein Zimmer O.K.

Mini-Test • Check that you can

1. Say where you live and what sort of place it is
2. Ask someone's address and give your own
3. Use *es gibt* to say what rooms there are in your home
4. Say what you do in three rooms in your home
5. Describe your room and say what there is / isn't in it
6. Give the *ich, du* and *er / sie* forms of three irregular verbs

4 Wo ist es?

Saying what is in your room
Using prepositions to describe where things are

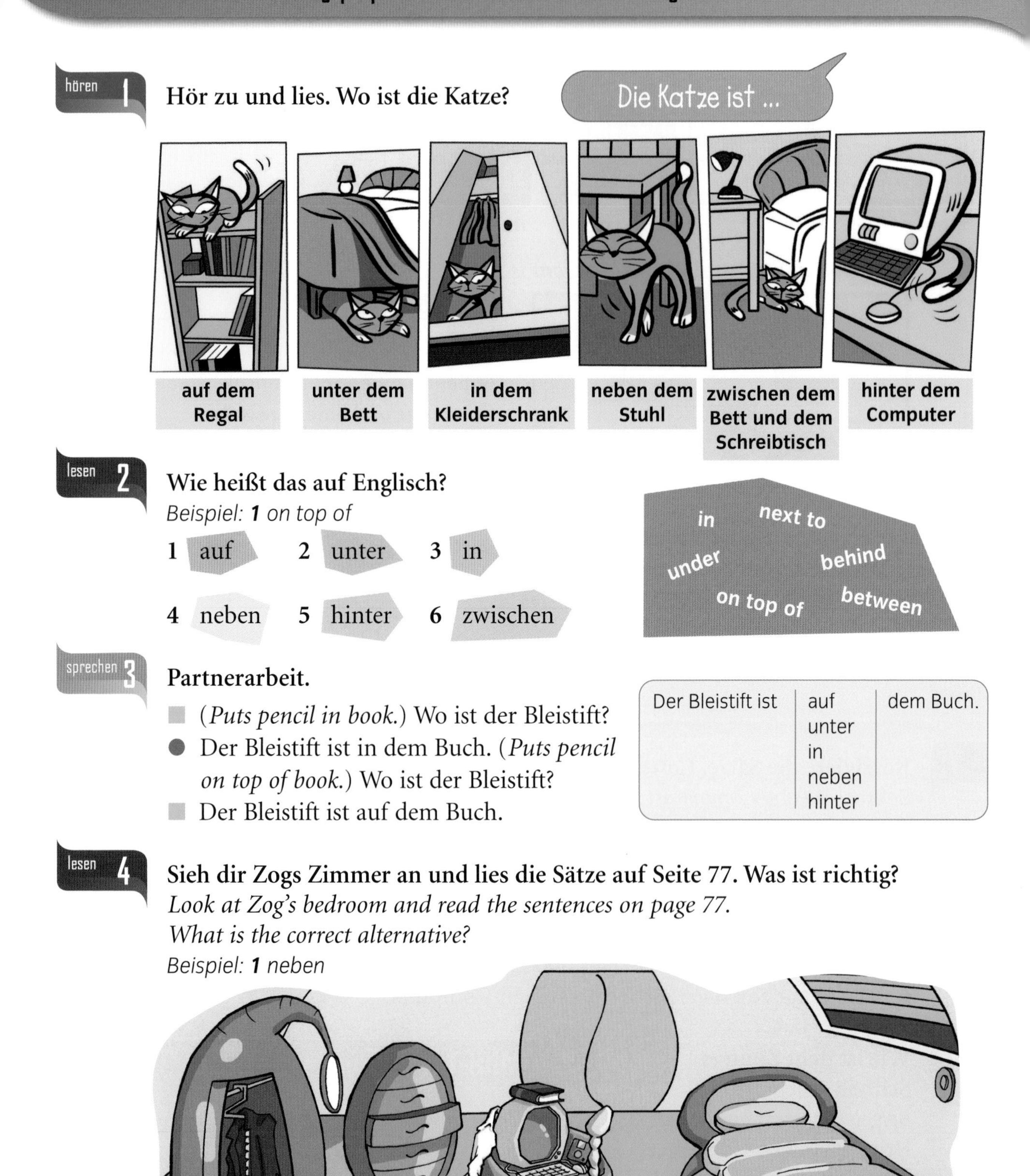

hören 1

Hör zu und lies. Wo ist die Katze?

Die Katze ist ...

auf dem Regal	unter dem Bett	in dem Kleiderschrank	neben dem Stuhl	zwischen dem Bett und dem Schreibtisch	hinter dem Computer

lesen 2

Wie heißt das auf Englisch?

Beispiel: ***1*** *on top of*

1 auf 2 unter 3 in

4 neben 5 hinter 6 zwischen

in, next to, under, behind, on top of, between

sprechen 3

Partnerarbeit.

- (*Puts pencil in book.*) Wo ist der Bleistift?
- Der Bleistift ist in dem Buch. (*Puts pencil on top of book.*) Wo ist der Bleistift?
- Der Bleistift ist auf dem Buch.

Der Bleistift ist	auf unter in neben hinter	dem Buch.

lesen 4

Sieh dir Zogs Zimmer an und lies die Sätze auf Seite 77. Was ist richtig?

Look at Zog's bedroom and read the sentences on page 77.
What is the correct alternative?

Beispiel: ***1*** *neben*

1 Das Bett ist **auf / neben** dem Schreibtisch.
2 Der Computer ist **auf / in** dem Schreibtisch.
3 Das Buch ist **in / auf / unter** dem Computer.
4 Der Stuhl ist **unter / auf / zwischen** dem Schreibtisch.
5 Das Hemd ist **neben / auf / hinter** dem Computer.
6 Der Schreibtisch ist **zwischen / auf / hinter** dem Bett und dem Kleiderschrank.

schreiben 5

Sieh dir das Bild noch mal an. Beantworte die Fragen.

Beispiel: **1** Die Gitarre ist unter dem Bett.

1 Wo ist die Gitarre?
2 Wo ist der Taschenrechner?
3 Wo ist die Jacke?
4 Wo ist die Diskette?

ECHO • Detektiv

Prepositions in the dative

Words like **auf**, **in** and **unter** are called **prepositions**. After a preposition, *der, die* and *das* change:

der Schreibtisch → auf **dem** Schreibtisch
die Kommode → in **der** Kommode
das Bett → unter **dem** Bett

Lern weiter → 2.5, Seite 114

lesen 6

Lies den Text und zeichne das Zimmer. *Read the text and draw the room.*

Mein Zimmer ist groß und hell. Es ist sehr schön. In meinem Zimmer habe ich ein Bett, ein Sofa, einen Schreibtisch und einen Kleiderschrank. Und wo ist das alles? Das Bett ist auf der linken Seite. Der Schreibtisch ist zwischen dem Bett und dem Sofa. Der Kleiderschrank ist auf der rechten Seite, neben dem Sofa. Auf dem Schreibtisch steht ein Radio. Neben dem Schreibtisch ist ein Fußball und unter dem Bett ist eine Gitarre. Ich spiele gern Fußball und Gitarre!

auf der linken Seite
= *on the left*
auf der rechten Seite
= *on the right*

schreiben 7

Zeichne dein Zimmer. Beschreib es.
Draw your room. Describe it.

Beispiel: Mein Zimmer ist klein. In meinem Zimmer habe ich einen Schreibtisch und einen Computer. Der Computer ist auf dem Schreibtisch. ...

5 Liebes Traumhaus-Team ...

Saying what you don't like about your room
Recognising sentences about the past

hören **1** **Hör zu und lies.**

Liebes Traumhaus-Team,

bitte helfen Sie mir! Ich bin dreizehn Jahre alt, aber mein Zimmer ist ein Baby-Zimmer:
Es ist dunkel und klein, und die Wände sind rosa und blau – furchtbar!
Mein Zimmer ist unordentlich – ich habe keinen Platz für meine Sachen. Der Kleiderschrank ist sehr klein und meine Klamotten liegen auf dem Schreibtisch.
In meinem Zimmer habe ich keinen Fernseher und keinen Computer. Ich kann auch keine CDs spielen – meine Stereoanlage ist sehr alt. Ich brauche eine neue Stereoanlage!
Was noch? Ach ja, meine Freundinnen können nicht bei mir übernachten – ich habe nur ein Bett!

Hilfe!
Ihre
Beate Ohlers

keinen Platz für = *no room for*
bei mir = *at my home*

lesen **2** **Lies Beates Brief und beantworte die Fragen auf Englisch.**
Read Beate's letter and answer the questions in English.

1. How old is Beate?
2. What doesn't she like about how her room looks? (*four things*)
3. Why is her room untidy?
4. What's wrong with the wardrobe?
5. Why can't Beate listen to her CDs?
6. Why can't Beate's friends stay overnight?

When you meet new words in a text, try to work them out from the rest of the text. Can you guess what these words mean from the text above?
die Wände
Klamotten
übernachten

sprechen **3** **Gedächtnisspiel: Mein Zimmer ist furchtbar!**

■ Mein Zimmer ist furchtbar. (Es ist klein.)
● Mein Zimmer ist furchtbar. Es ist klein (und dunkel.)
▲ Mein Zimmer ist furchtbar. Es ist klein und dunkel. (Ich habe kein Bett.)
etc.

klein / dunkel
unordentlich
keinen Schreibtisch
keinen Kleiderschrank
kein Bett / Regal
keine Stereoanlage / Kommode

hören 4

Füll die Lücken aus. Hör zu und überprüfe es.

aber
Stereoanlage
Bett
hallo
Lieblingsfarbe
ist
meine
Kleiderschrank
Regal
habe
übernachten

Liebes Traumhaus-Team,

__1__ ! Mein Zimmer ist jetzt toll!
Es war vorher dunkel, __2__ jetzt ist es hell. Es war rosa und blau, jetzt __3__ es grün. Grün ist meine __4__ !

Ich hatte keinen Platz für __5__ Sachen, aber jetzt __6__ ich viel Platz. Ich habe einen großen __7__ und ein __8__ für meine CDs und DVDs.

Ich habe endlich einen Computer und einen Fernseher – spitze! Meine __9__ war sehr alt, aber jetzt habe ich einen neuen CD-Spieler.

Ich hatte vorher nur ein __10__. Jetzt habe ich ein Bett und ein Sofabett. Toll! Meine Freundinnen können jetzt bei mir __11__ !

Ihre

Beate Ohlers

Look for little words like **jetzt** (*now*) and **vorher** (*before*) to tell you whether a sentence is about the present or the past.

lesen 5

Wie war Beates Zimmer vorher und wie ist es jetzt? Mach zwei Listen.

What was Beate's room like before, and what is it like now? Make two lists.

Beispiel: *vorher* — *jetzt*
dunkel — *hell*

schreiben 6

Schreib einen Brief an das Traumhaus-Team.

Beispiel: Liebes Traumhaus-Team,
Hilfe! Mein Zimmer ist furchtbar ...

ECHO • Detektiv

war / hatte

War means *was* and **hatte** means *had*. If you see **war** or **hatte** in a German sentence, it is easy to see that it is about the past.

Mein Zimmer **war** dunkel.
*My room **was** dark.*

Ich **hatte** eine Stereoanlage.
*I **had** a hi-fi.*

Lern weiter ➡ 5.6, Seite 121

Lernzieltest

Check that you can:

1	● Say what sort of place you live in	*Ich wohne in einer Großstadt.*
	● Say what sort of home you live in	*Ich wohne in einem Reihenhaus.*
	● Ask someone their address	*Wie ist deine Adresse?*
	● Give your address and telephone number	*Meine Adresse ist Botley Road einundfünfzig, meine Telefonnummer ist achtzehn, dreiundzwanzig, null, vier.*
2	G Say what rooms there are in your home, using *es gibt*	*Es gibt zwei Schlafzimmer, eine Küche, …*
	G Say what you don't have in your house using *keinen / keine / kein*	*Es gibt keinen Keller.*
	● Say what you do in three different rooms	*Ich spiele im Wohnzimmer am Computer …*
3	G Say what there is in your room, with the verb as second idea	*In meinem Zimmer habe ich einen Schreibtisch, eine Lampe, …*
	G Say what you don't have in your room using *keinen / keine / kein*	*In meinem Zimmer habe ich keinen Computer.*
	● Ask someone what their room is like	*Wie ist dein Zimmer?*
	G Describe your room using qualifiers (*ziemlich, sehr*) and connectives (*und, aber*)	*Mein Zimmer ist ziemlich groß und sehr ordentlich.*
4	● Ask someone where something is	*Wo ist das Wörterbuch?*
	G Use prepositions to describe where things are	*Der Bleistift ist auf dem Schreibtisch, das Buch ist in der Schultasche.*
5	● Say what's wrong with your room	*Mein Zimmer ist dunkel. Ich habe keinen Fernseher.*
	G Recognise sentences about the present with *jetzt*	*Ich habe jetzt viel Platz.*
	G Recognise sentences that are about the past with *vorher, war* and *hatte*	*Mein Zimmer war vorher rosa. Ich hatte vorher keinen Computer.*

hören 1

Hör zu. Füll die Tabelle aus.

Adresse	☺	☹
Gartenstraße 74	3 Schlafzimmer ...	keine Garage

hören 2

Hör zu. Schreib die Zahlen auf. (1–8) *Listen. Write down the numbers.*
Beispiel: ***1*** *82*

sprechen 3

Partnerarbeit: Mach Interviews.

Wo wohnst du?

Was gibt es in deinem Zimmer?

Wie ist deine Adresse?

Was machst du in deinem Zimmer?

lesen 4

Lies den Brief. Beantworte die Fragen auf Englisch.

1. What sort of home does Christian live in?
2. What was his old home like? (*two* things)
3. What rooms were there in his old home?
4. What extra rooms are there in his new home?
5. In what way is Christian's new room like his old room?

Hallo!
Wir haben eine neue Wohnung! Sie ist super cool!
Die alte Wohnung war ziemlich klein und dunkel. Sie hatte zwei Schlafzimmer, ein Badezimmer, eine Küche und ein Wohnzimmer. Das war okay, aber sie hatte kein Esszimmer und keinen Balkon. Mein Zimmer war klein und unordentlich!
Die neue Wohnung ist groß und hell und ganz toll! Wir haben jetzt sehr viele Zimmer – drei Schlafzimmer, zwei Badezimmer (jawohl!), eine Toilette, eine Küche, ein Esszimmer und ein Wohnzimmer. Wir haben keinen Garten, aber das macht nichts – wir haben einen Balkon. Mein Zimmer ist jetzt groß, aber es ist immer noch unordentlich!

Christian

immer noch = *still*
das macht nichts = *that doesn't matter*

schreiben 5

Wie ist dein Zimmer? Was gibt es in deinem Zimmer?
Beispiel: Mein Zimmer ist klein und ...

Ein Dieb im Haus

hören 1

Hör zu und lies.

lesen 2

Wie heißt das auf Englisch? Rate mal, dann schlag es nach.
What is it called in English? Guess, then look it up.

Ich komme gleich = *I'm just coming*
später = *later*
Was ist hier los? = *What's going on here?*
böser Hund! = *bad dog!*

1 der Boden 2 das Geburtstagsgeschenk 3 weg
4 der Dieb 5 das Geld 6 auch

sprechen 3

Gedächtnisspiel.

Partner A: **Sieh dir Bild 1 noch mal an, dann mach das Buch zu.**
Look at picture 1 again, then close your book.

Partner B: **Stell die Fragen. Sind die Antworten richtig oder falsch?**
Ask the questions. Are your partner's answers correct?

1 War der Computer auf dem Stuhl?
2 War der Stuhl zwischen der Lampe und dem Schreibtisch?
3 Wo war das Skateboard?
4 Wo war der Musik-Player?
5 Welche Farbe hatte der Musik-Player?

Partner B: **Sieh Bild 3 noch mal an, dann mach das Buch zu.**
Look at picture 3 again, then close your book.

Partner A: **Stell die Fragen. Sind die Antworten richtig oder falsch?**
Ask the questions. Are your partner's answers correct?

1 War das Foto auf dem Schreibtisch?
2 Wo war die Lampe?
3 Wo war der Kuli?
4 Welche Farbe hatte das Skateboard?
5 Wo war das Skateboard?

lesen 4

Lies das Star-Interview. Welches Haus gehört Benjamin Braun?

Star-Interview

Mega-Magazin interviewt
Benjamin Braun, Filmstar

Mega: Benjamin Braun, wie ist dein neues Haus?
Benjamin: Also, es ist wirklich toll! Ich wohne dort seit drei Monaten. Das Haus liegt auf dem Land, nicht weit von Leipzig – aber ich sage dir nicht die Adresse! Es ist ein großes, modernes Einfamilienhaus. Es hat zehn Schlafzimmer, alle mit Badezimmer. Die Zimmer sind sehr groß und hell. Es gibt natürlich ein Schwimmbad im Garten und auch einen Tennisplatz. Ich habe vier Garagen für meine Autos und ein privates Kino mit Bar im Keller. Ich finde es super.
Mega: Fantastisch! Aber ... wohnst du allein dort?
Benjamin: Nein, meine Katze, Lilli wohnt mit mir. Sie hat ein eigenes Schlafzimmer und Badezimmer.

schreiben 5

Schreib ein Star-Interview mit einem Fußball-Profi oder einem Popstar.

5 Wörter

Mein Zuhause	***My home***
Wo wohnst du?	*Where do you live?*
Ich wohne …	*I live …*
in einem Dorf.	*in a village.*
in einer Stadt.	*in a town.*
in einer Großstadt.	*in a city.*
an der Küste.	*on the coast.*
in den Bergen.	*in the mountains.*
auf dem Land.	*in the country.*

Häuser	***Houses***
Ich wohne in …	*I live in …*
Er / Sie wohnt in …	*He / She lives in …*
einer Wohnung.	*a flat.*
einem Einfamilienhaus.	*a detached house.*
einem Doppelhaus.	*a semi-detached house.*
einem Reihenhaus.	*a terraced house.*
einem Bungalow.	*a bungalow.*
Mein Haus ist …	*My house is …*
groß.	*big.*
mittelgroß.	*medium-sized.*
klein.	*small.*

Kontakte	***Getting in touch***
Wie ist deine Adresse?	*What's your address?*
Meine Adresse ist …	*My address is …*
Wie ist deine Telefonnummer?	*What's your phone number?*
Meine Telefonnummer ist …	*My phone number is …*
Wie bitte?	*Pardon?*
Langsamer bitte.	*More slowly, please.*

Die Zimmer	***Rooms***
Es gibt …	*There's …*
einen Garten.	*a garden.*
einen Balkon.	*a balcony.*
einen Keller.	*a basement/cellar.*
einen Dachboden.	*an attic/a loft.*
eine Küche.	*a kitchen.*
eine Toilette.	*a toilet.*
eine Garage.	*a garage.*
ein Wohnzimmer.	*a living room.*
ein Badezimmer.	*a bathroom.*
ein Esszimmer.	*a dining room.*
zwei Schlafzimmer.	*two bedrooms.*
Es gibt keinen Garten.	*There isn't a garden.*
Es gibt kein Esszimmer.	*There isn't a dining room.*

Freizeit	***Free time***
Ich höre Musik.	*I listen to music.*
Ich spiele am Computer.	*I play on the computer.*
Ich koche.	*I cook.*
Ich arbeite im Garten.	*I work in the garden.*
Ich esse.	*I eat.*
Ich lese.	*I read.*
Ich sehe fern.	*I watch TV.*
Ich schlafe.	*I sleep.*
Er / Sie isst.	*He / She eats.*
Er / Sie sieht fern.	*He / She watches TV.*
Er / Sie liest.	*He / She reads.*
Er / Sie schläft.	*He / She sleeps.*
im Garten	*in the garden*
im Keller	*in the basement*
in der Küche	*in the kitchen*
im Wohnzimmer	*in the living room*
im Schlafzimmer	*in the bedroom*
im Badezimmer	*in the bathroom*
im Esszimmer	*in the dining room*

Die Möbel	***Furniture***
In meinem Zimmer habe ich …	*I've got … in my room.*
einen Schreibtisch.	*a desk*
einen Kleiderschrank.	*a wardrobe*
einen Stuhl.	*a chair*
einen Computer.	*a computer*
einen Fernseher.	*a TV*
einen Spiegel.	*a mirror*
eine Lampe.	*a lamp*
eine Kommode.	*a chest of drawers*
eine Stereoanlage.	*a hi-fi*
ein Bett.	*a bed*
ein Regal.	*a shelf*
ein Sofa.	*a sofa*

Mein Zimmer / *My room*

Wie ist dein Zimmer?	*What's your room like?*
Mein Zimmer ist …	*My room is …*
klein.	*small.*
groß.	*big.*
hell.	*bright.*
dunkel.	*dark.*
ordentlich.	*tidy.*
unordentlich.	*untidy.*
sehr	*very*
ziemlich	*quite*
nicht sehr	*not very*

Wo ist es? / *Where is it?*

Wo ist die Katze?	*Where's the cat?*
Die Katze ist …	*The cat is …*
auf dem Regal.	*on the shelf.*
unter dem Bett.	*under the bed.*
in dem Kleiderschrank.	*in the wardrobe.*
neben dem Stuhl.	*next to the chair.*
zwischen dem Bett und dem Schreibtisch.	*between the bed and the desk.*
hinter dem Computer.	*behind the computer.*
Mein Zimmer war (klein).	*My room was small.*
Mein Zimmer war (dunkel).	*My room was dark.*
Ich hatte (keine Stereoanlage).	*I didn't have a stereo.*
Ich hatte (kein Regal).	*I didn't have a shelf.*
jetzt	*now*
vorher	*before*

Strategie 5

How do I learn new words?

In *Kapitel 1* you learned about one method of learning new words, called 'Look – Say – Cover – Write – Check'. Here are some more tips:

Little and often: Don't try to learn loads of words all at once – it won't work! Instead, choose a few words to learn after every German lesson.

Be selective: Learn the most useful words first – words you can use in different situations. We call these 'high frequency words'. (See *Strategie 3*, page 53)

Experiment: Try out different ways of learning: see which one works best for you. For example, you could:

- stick notes on objects in your room with their names in German
- get a friend to test you, using the *Wörter* pages
- teach some German to a friend or relative.

6 Stadt und Land

1 Wo liegt das?

Learning about some towns and cities in Germany, Austria and Switzerland
Talking about the weather

hören 1

Welche Stadt ist das? (1–8)

Beispiel: ***1*** *Klosters*

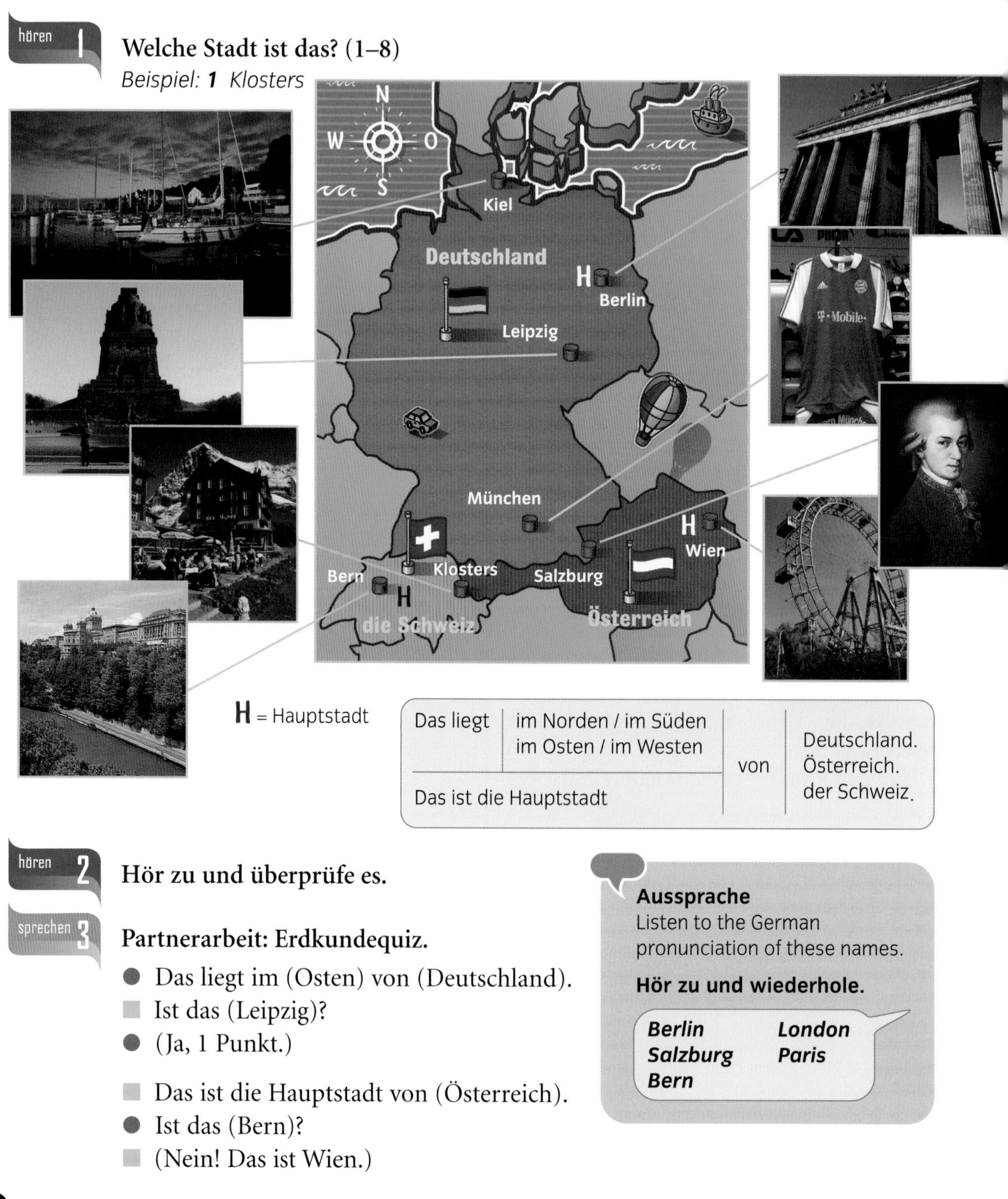

H = Hauptstadt

Das liegt	im Norden / im Süden im Osten / im Westen	von	Deutschland. Österreich. der Schweiz.
Das ist die Hauptstadt			

hören 2

Hör zu und überprüfe es.

sprechen 3

Partnerarbeit: Erdkundequiz.

- Das liegt im (Osten) von (Deutschland).
- Ist das (Leipzig)?
- (Ja, 1 Punkt.)

- Das ist die Hauptstadt von (Österreich).
- Ist das (Bern)?
- (Nein! Das ist Wien.)

Aussprache
Listen to the German pronunciation of these names.

Hör zu und wiederhole.

Berlin ***London***
Salzburg ***Paris***
Bern

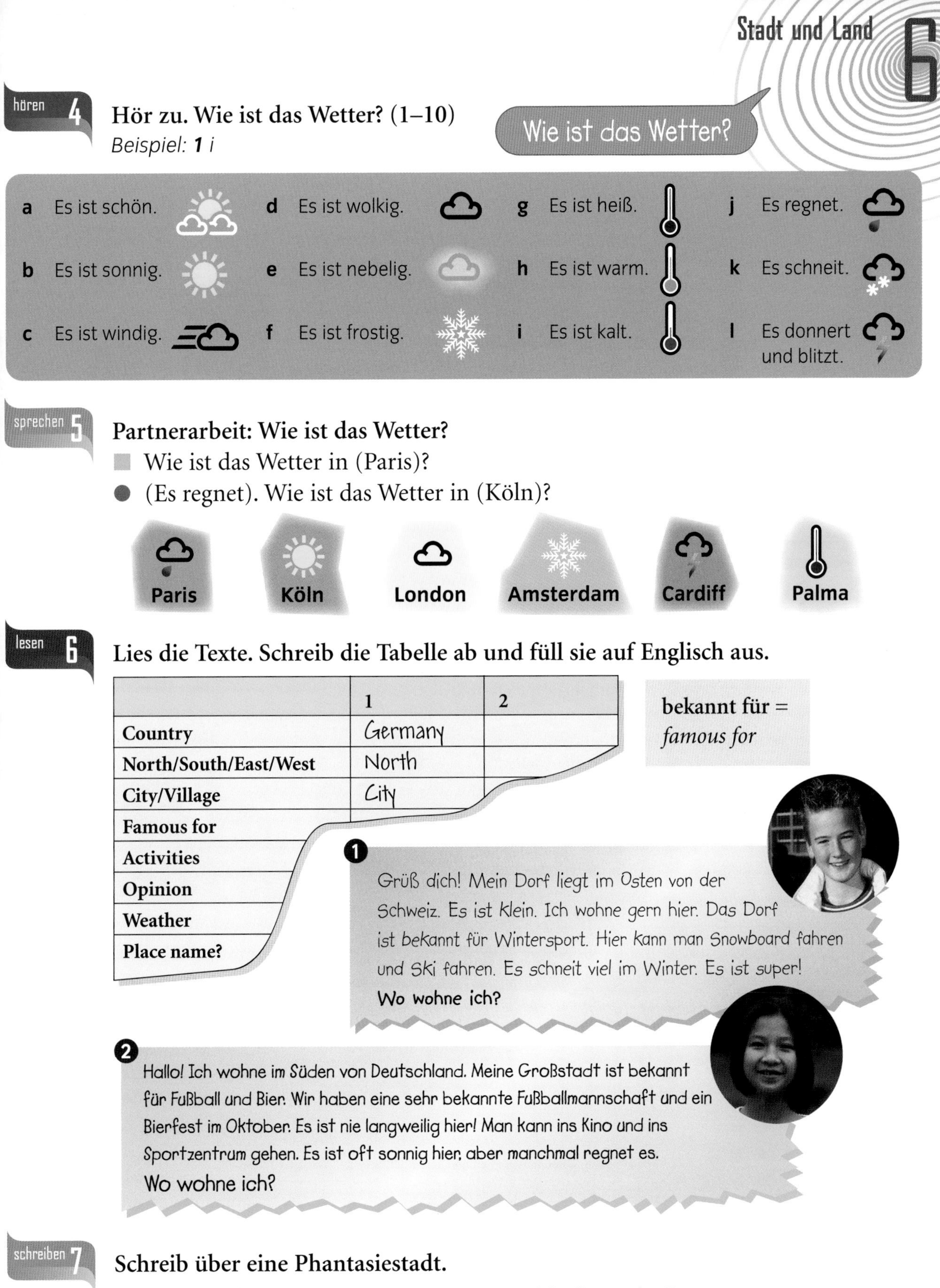

hören 4

Hör zu. Wie ist das Wetter? (1–10)

Beispiel: ***1*** *i*

Wie ist das Wetter?

- **a** Es ist schön.
- **b** Es ist sonnig.
- **c** Es ist windig.
- **d** Es ist wolkig.
- **e** Es ist nebelig.
- **f** Es ist frostig.
- **g** Es ist heiß.
- **h** Es ist warm.
- **i** Es ist kalt.
- **j** Es regnet.
- **k** Es schneit.
- **l** Es donnert und blitzt.

sprechen 5

Partnerarbeit: Wie ist das Wetter?

■ Wie ist das Wetter in (Paris)?

● (Es regnet). Wie ist das Wetter in (Köln)?

lesen 6

Lies die Texte. Schreib die Tabelle ab und füll sie auf Englisch aus.

	1	2
Country	Germany	
North/South/East/West	North	
City/Village	City	
Famous for		
Activities		
Opinion		
Weather		
Place name?		

bekannt für = *famous for*

1

Grüß dich! Mein Dorf liegt im Osten von der Schweiz. Es ist klein. Ich wohne gern hier. Das Dorf ist bekannt für Wintersport. Hier kann man Snowboard fahren und Ski fahren. Es schneit viel im Winter. Es ist super!

Wo wohne ich?

2

Hallo! Ich wohne im Süden von Deutschland. Meine Großstadt ist bekannt für Fußball und Bier. Wir haben eine sehr bekannte Fußballmannschaft und ein Bierfest im Oktober. Es ist nie langweilig hier! Man kann ins Kino und ins Sportzentrum gehen. Es ist oft sonnig hier, aber manchmal regnet es.

Wo wohne ich?

schreiben 7

Schreib über eine Phantasiestadt.

Wie heißt die Stadt?
Wo liegt das?
Was kann man dort machen?
Wie ist das Wetter dort?
Wie findest du die Stadt?

2 In der Stadt

Saying what there is in a town, and talking about types of transport
Recognising plural forms

schreiben **1**

Wie heißt das auf Deutsch?

Beispiel: ***a*** *der Supermarkt*

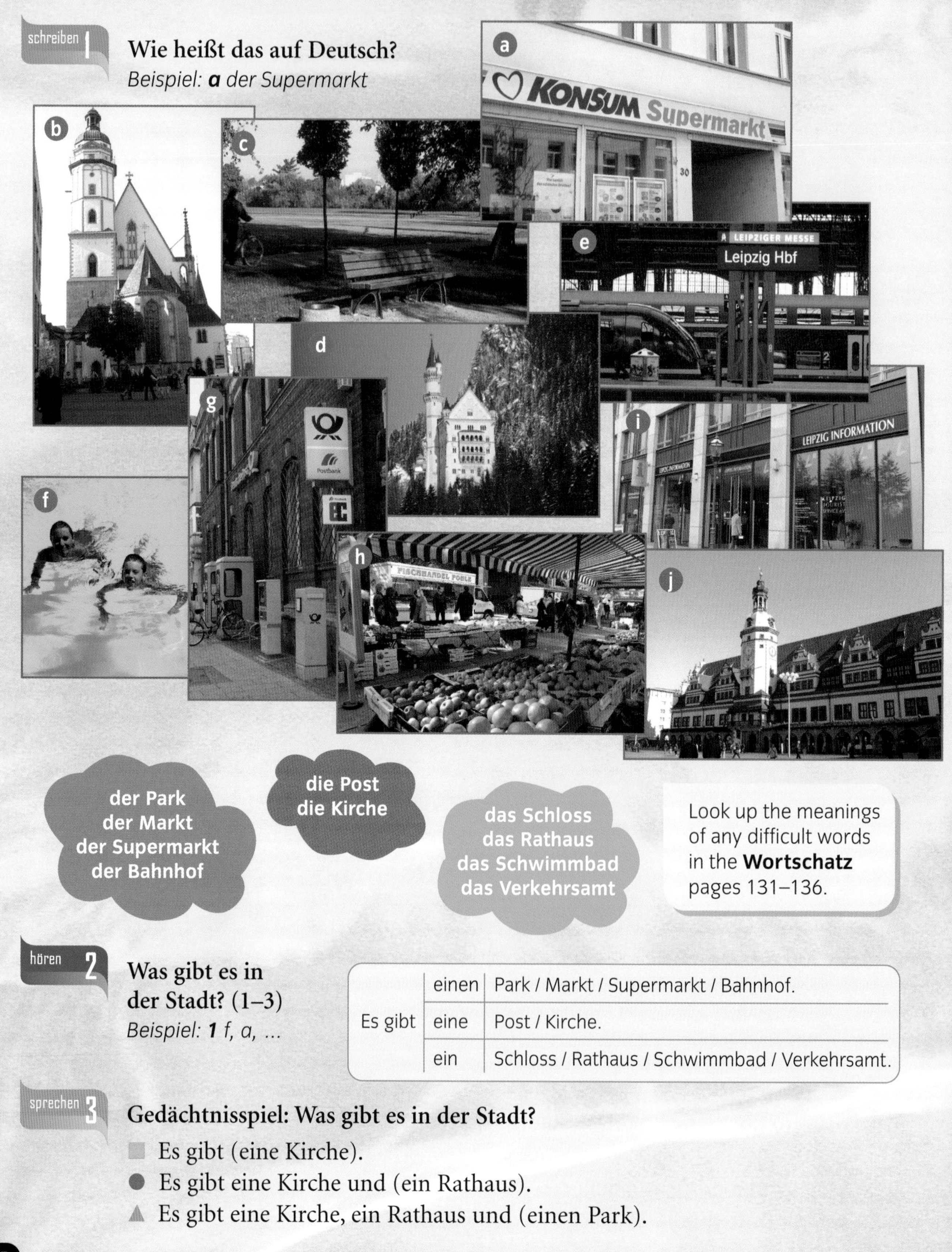

der Park
der Markt
der Supermarkt
der Bahnhof

die Post
die Kirche

das Schloss
das Rathaus
das Schwimmbad
das Verkehrsamt

Look up the meanings of any difficult words in the **Wortschatz** pages 131–136.

hören **2**

Was gibt es in der Stadt? (1–3)

Beispiel: ***1*** *f, a, …*

Es gibt	einen	Park / Markt / Supermarkt / Bahnhof.
	eine	Post / Kirche.
	ein	Schloss / Rathaus / Schwimmbad / Verkehrsamt.

sprechen **3**

Gedächtnisspiel: Was gibt es in der Stadt?

■ Es gibt (eine Kirche).

● Es gibt eine Kirche und (ein Rathaus).

▲ Es gibt eine Kirche, ein Rathaus und (einen Park).

Wie viele gibt es? *How many are there? (Use the photos on page 88.)*
Beispiel: ***a*** *4*

Willkommen in Parkstadt

Die Stadt ist ziemlich klein, aber sie hat einen Park – er ist sehr grün im Frühling, aber auch schön im Herbst. Auf dem Marktplatz gibt es jede Woche einen Markt. Das ist toll, wenn es sonnig ist. Es gibt keinen Bahnhof, also kann man nicht mit dem Zug fahren. In Parkstadt findet man drei alte Kirchen und zwei Schwimmbäder – ein Freibad und ein Hallenbad. Man kann im Sommer und auch im Winter schwimmen gehen. Wir haben eine Post, ein Verkehrsamt und auch ein Rathaus, aber kein Schloss. Es gibt vier Supermärkte – das ist sehr praktisch.

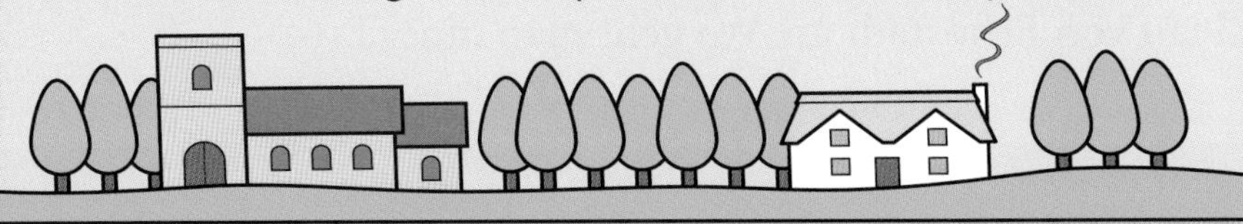

Plural forms in German sometimes look quite different:

ein Super**markt**
→ vier Super**märkte**
ein Schwimm**bad**
→ zwei Schwimm**bäder**

Words in context
Can you find the words for spring, summer, autumn and winter in the text?

hören 5

Hör zu. Finde den richtigen Untertitel für jedes Foto. (1–8)
Beispiel: ***1*** *Auto*

1 2 3 4 5 6 7 8

Auto **Zug** **U-Bahn** **Bus** **Taxi** **Flugzeug** **zu Fuß** **Straßenbahn**

Partnerarbeit.

- Wie kann man in die Stadt fahren?
- Man kann (mit dem Bus) fahren.
- Das ist Foto (2).

Man kann	mit dem	Flugzeug	fliegen.
	mit dem	Auto / Bus / Zug / Taxi / Flugzeug	fahren.
	mit der	U-Bahn / Straßenbahn	
	zu Fuß		gehen.

Hör zu und füll die Tabelle aus. (1–3)

Town	Location	What there is	Transport
1 Zürich			

Schreib über deine Stadt / dein Dorf.
Beispiel: Preston ist sehr groß und liegt im Norden von England. Es gibt ein Rathaus, aber kein ... Man kann ... und auch ... Das Wetter ...

3 Wo ist der Markt?

Asking for and giving directions
Understanding the difference between *du* and *Sie*

hören 1

Hör zu. Was passt zusammen? (1–8)

Beispiel: ***1** b*

a geradeaus
b links
c rechts
d die erste Straße links
e die zweite Straße links
f die dritte Straße rechts
g auf der rechten Seite
h auf der linken Seite

hören 2

Hör zu. Sieh dir den Plan von Echostadt an. Wo geht man hin? (1–6)

Beispiel: ***1** a*

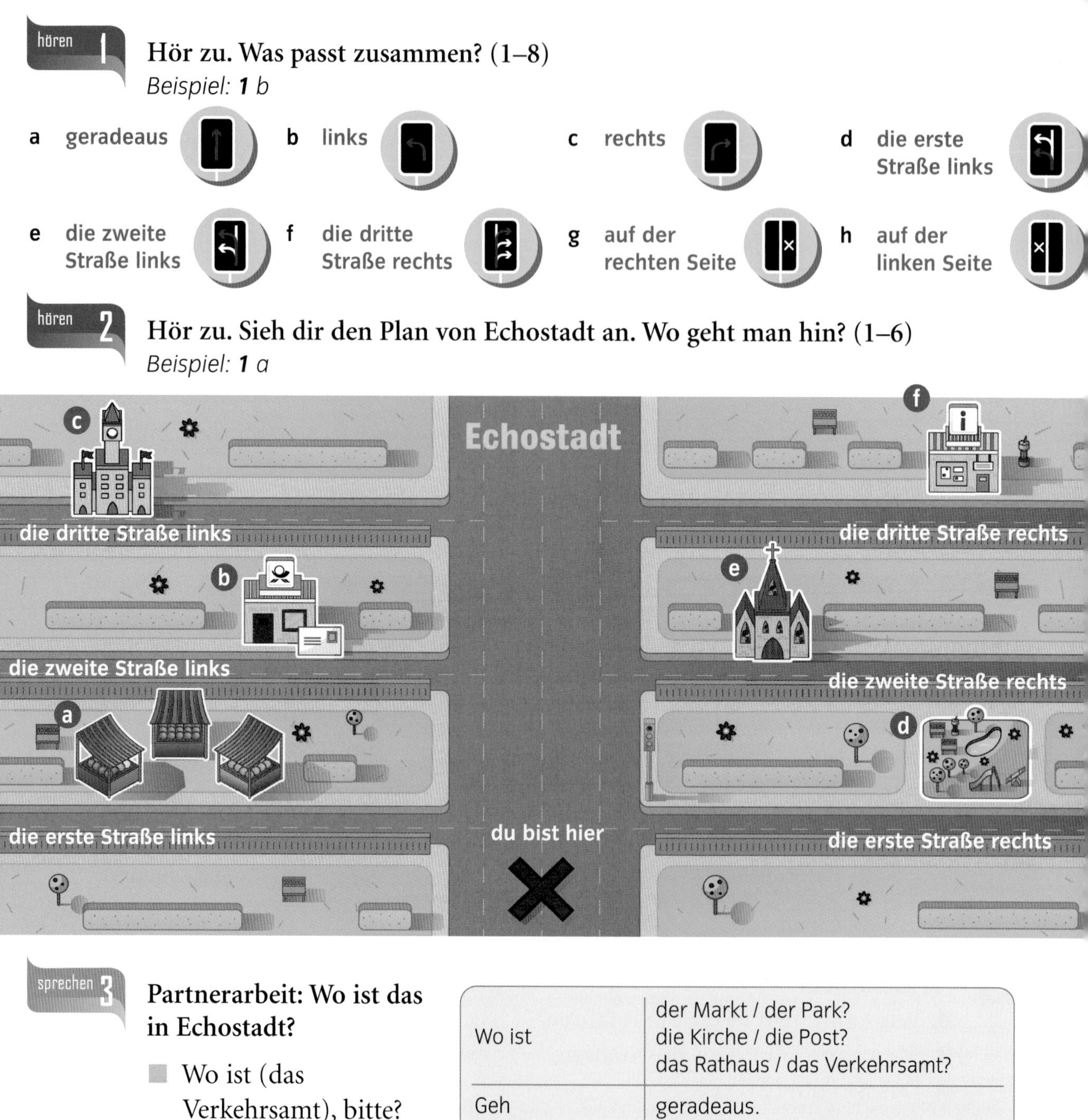

sprechen 3

Partnerarbeit: Wo ist das in Echostadt?

- ■ Wo ist (das Verkehrsamt), bitte?
- ● Geh geradeaus und nimm die (dritte Straße rechts). (Das Verkehrsamt) ist auf der (linken) Seite.
- ■ Danke.
- ● Bitte.

Wo ist	der Markt / der Park? die Kirche / die Post? das Rathaus / das Verkehrsamt?	
Geh	geradeaus.	
Nimm die	erste / zweite / dritte Straße	links.
		rechts.
Der / Die / Das …	ist auf der linken / rechten Seite.	

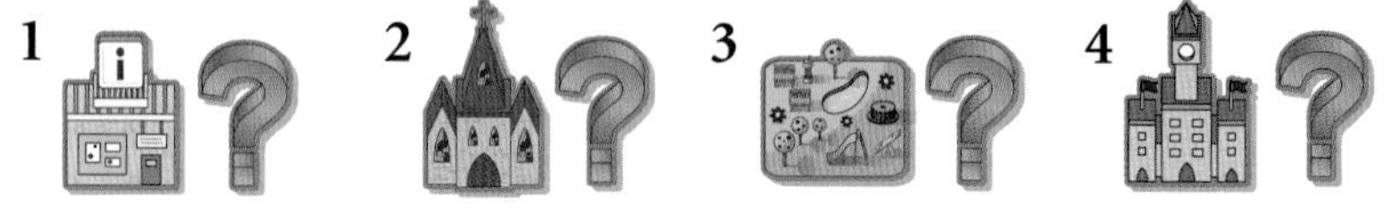

Hör die Dialoge von Aufgabe 2 noch mal an. „Du“ oder „Sie“? (1–6)

Beispiel: ***1** du*

„du“ und „Sie“

German has more than one word for 'you'.

Use ***du*** when you are talking to a young person, or a friend or relative.
Use ***Sie*** when you are talking to an adult you do not know well.

ECHO • Detektiv

Giving instructions

Verbs look different when you are giving instructions in German:

du gehst → Geh ...
du nimmst → Nimm ...

Sie gehen → Gehen Sie ...
Sie nehmen → Nehmen Sie ...

Lern weiter → 5.7, Seite 122

schreiben 5

Wo ist das in Echostadt? Schreib Dialoge. „Du“ oder „Sie“?

Where is that in Echostadt? Write dialogues. 'Du' or 'Sie'?

Beispiel:

■ Wo ist ...?
● Geh ... / Gehen Sie ...

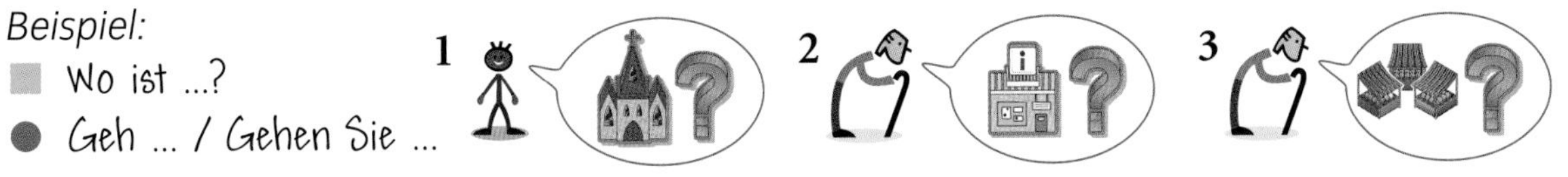

Hör zu und sing mit.

Wo ist bitte der Marktplatz?
Geh hier geradeaus.
Nimm die erste Straße links.
Das ist fünf Minuten vom Haus!

Danke, danke, danke.
Bitte, bitte, bitte.

Ich fahre in die Stadt.
Gibt es hier ein Schloss?
Ja, geh geradeaus.
Das Schloss ist neben der Post!

Danke, danke, danke.
Bitte, bitte, bitte.

Ich gehe heute schwimmen.
Gibt es hier ein Schwimmbad?
Ja, nimm die dritte Straße links.
Das geht schnell mit dem Rad!

Danke, danke, danke.
Bitte, bitte, bitte.

Mini-Test • Check that you can

1. Name some towns in German-speaking countries
2. Ask and say where a town is
3. Say three things about the weather
4. Name some of the things that are in a town
5. Say the names of some types of transport

4 An der Imbissbude

Buying food and drink at a snack stand using euros
Using *ich möchte* to say what you would like

lesen **1**

Essen ist international! Welche Wörter erkennst du schon?
Food is international! Which of the words for snacks do you recognise from other languages?
Beispiel: Hamburger, ...

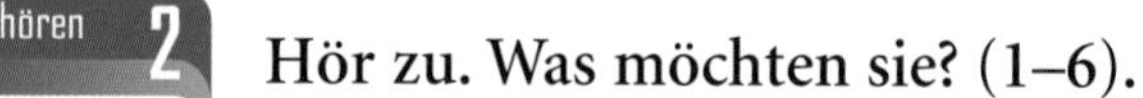

hören **2** **Hör zu. Was möchten sie? (1–6).**

Ich möchte	einmal zweimal dreimal	Pommes, Bratwurst, Cola,	bitte.

You often see snack stands in German towns. *Wurst* (sausage) is served with a piece of bread, mayonnaise is popular on chips, and tea is usually drunk with lemon.

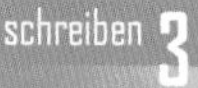

schreiben **3** **Was isst und trinkt Friedrich jeden Tag? Schreib eine Liste.**
Beispiel: Friedrich isst fünfmal Bratwurst, ...

Euro und Cent
Most European countries, including Germany and Austria, have the euro as their currency. There are 100 cents in a euro.

hören **4** **Hör zu. Was möchten sie? Was kostet das? (1–6)**
Beispiel: 2 x Pommes, 2 x Cola – €8

sprechen 5

Partnerarbeit: Mach Dialoge an der Imbissbude.

- ■ Guten Tag. Ich möchte (zweimal Pommes), bitte.
- ● Das macht (vier Euro).
- ■ (Vier Euro), bitte schön.
- ● Danke schön. Auf Wiedersehen.
- ■ Auf Wiedersehen.

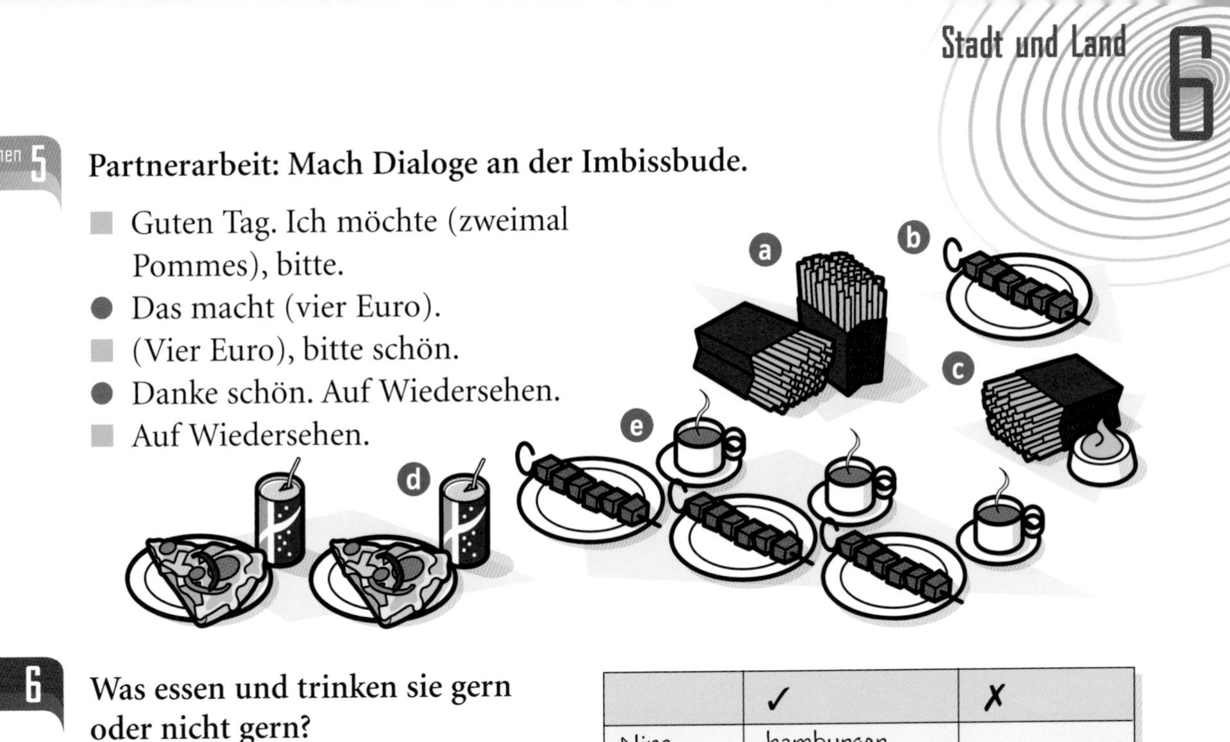

lesen 6

Was essen und trinken sie gern oder nicht gern?
What do and don't they like eating and drinking?

	✓	✗
Nina	hamburger chips ...	

An der Imbissbude esse ich gern Hamburger und Pommes. Das ist lecker! Wir essen zu Hause nie Pommes, und das finde ich langweilig. Ich trinke gern Limo. Ich finde Cola furchtbar.

Nina

Pommes sind mein Lieblingsessen – sie sind toll! Ich esse sie jeden Tag, aber das ist nicht sehr gut für mich. An der Imbissbude esse ich Pommes mit Mayonnaise. Das ist lecker. Ich trinke gern Cola. Ich trinke nicht gern Tee oder Kaffee.

Viktor

Ich esse nicht gern Pommes – sie sind furchtbar! Ich esse an der Imbissbude gern Schaschlik mit Ketchup. Das schmeckt gut. Ich trinke nicht so gern Cola oder Limo. Ich trinke gern Kaffee.

Stefanie

lesen 7

Lies die Texte noch mal. Finde zehn Substantive, fünf Verben und fünf Adjektive.
Read the texts again. Find ten nouns, five verbs and five adjectives.
Beispiel: Nouns: Imbissbude, Hamburger ...

Remember, nouns are always written with a capital letter in German, which makes them easy to spot!

schreiben 8

Schreib die Sätze zu Ende. *Finish the sentences to make a paragraph about your own taste in food and drink. Use each one at least once. Build in as many opinions as you can, and remember to use* **und / aber / auch!**

Ich trinke gern ...
Mein Lieblingsessen ist ...
Ich finde es ...
Ich trinke nicht gern ...
Das ist ...
Ich esse manchmal ...
Ich esse gern ...
Ich esse nicht so gern ...

5 In den Sommerferien

Talking about your plans for the summer holidays
Talking about the future (using the present tense)

lesen **1** **Was passt zusammen?**
Beispiel: ***1*** *c*

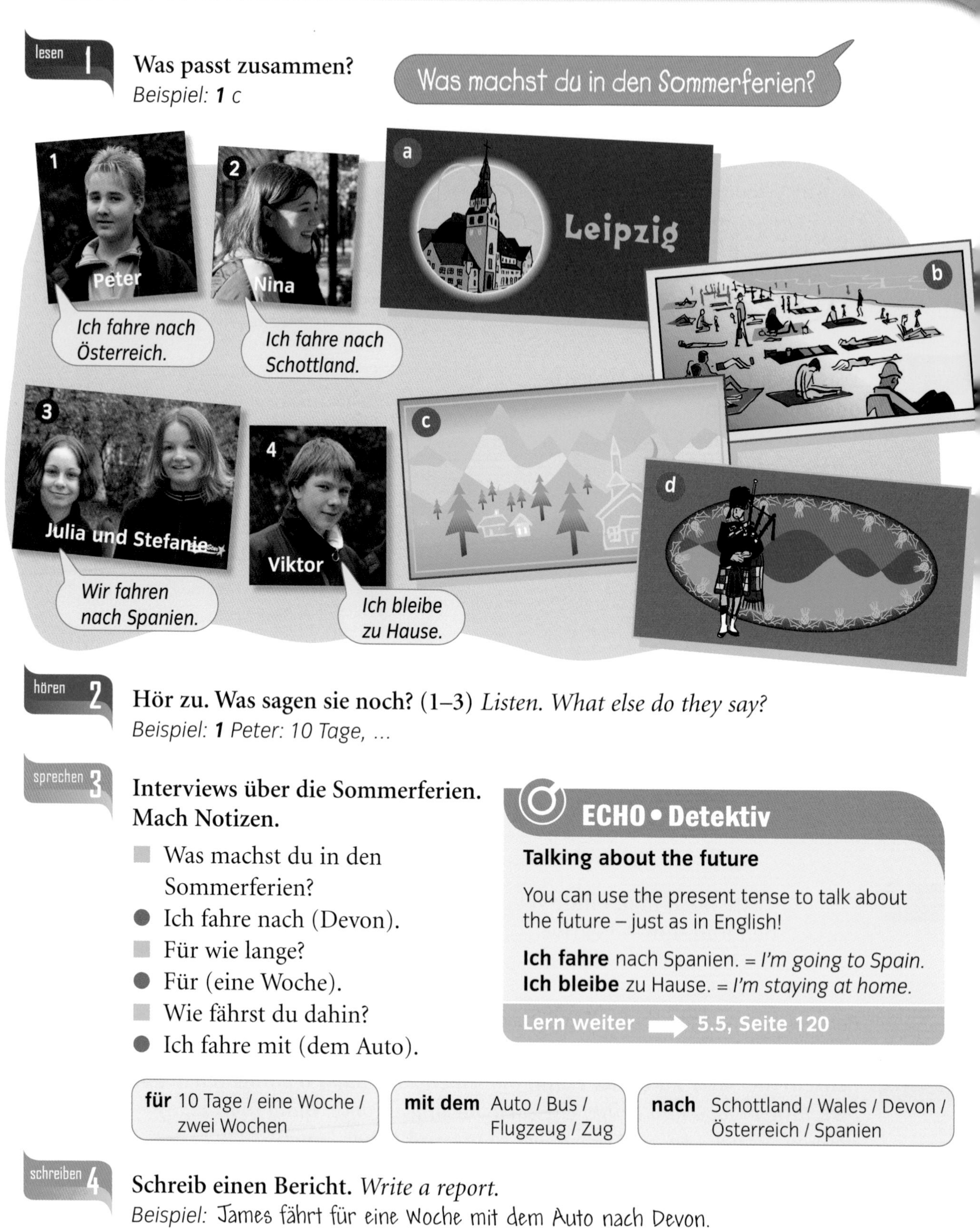

hören **2** **Hör zu. Was sagen sie noch? (1–3)** *Listen. What else do they say?*
Beispiel: **1** *Peter: 10 Tage, …*

sprechen **3** **Interviews über die Sommerferien. Mach Notizen.**

- ■ Was machst du in den Sommerferien?
- ● Ich fahre nach (Devon).
- ■ Für wie lange?
- ● Für (eine Woche).
- ■ Wie fährst du dahin?
- ● Ich fahre mit (dem Auto).

ECHO • Detektiv

Talking about the future

You can use the present tense to talk about the future – just as in English!

Ich fahre nach Spanien. = *I'm going to Spain.*
Ich bleibe zu Hause. = *I'm staying at home.*

Lern weiter ➡ 5.5, Seite 120

für 10 Tage / eine Woche / zwei Wochen

mit dem Auto / Bus / Flugzeug / Zug

nach Schottland / Wales / Devon / Österreich / Spanien

schreiben **4** **Schreib einen Bericht.** *Write a report.*
Beispiel: James fährt für eine Woche mit dem Auto nach Devon.
Sarah bleibt zu Hause.

lesen 5

Füll die Lücken (1–6) mit dem richtigen Verb aus.

Beispiel: ***1*** *fahre*

Bald haben wir Urlaub! In den Sommerferien __1__ ich für eine Woche mit Stefanie nach Spanien. Wir __2__ mit dem Bus. Meine Mutter fährt auch mit.

Wir fahren nach Lloret de Mar, im Norden. Wir __3__ eine Ferienwohnung in der Stadt. Lloret de Mar __4__ super! Es __5__ einen Markt, ein Museum und einen Park. Es ist nie langweilig. Man __6__ in die Stadt gehen und zum Strand gehen. Wir essen gern Paella.

Meine Mutter liest gern am Strand – das finde ich langweilig. Stefanie und ich gehen jeden Tag schwimmen. Am Montag gehen wir Rad fahren. Am Dienstag gehen wir reiten. Am Mittwoch spielen wir Tennis und am Donnerstag spielen wir am Strand Volleyball und Tischtennis. Am Freitag gehen wir in die Disko und am Samstag fahren wir mit dem Zug nach Barcelona – das finde ich toll!

kann **ist** **gibt** **fahren** **fahre** **haben**

der Strand = *beach*

lesen 6

Was machen sie am Montag, Dienstag, usw.?

What are they doing on Monday, Tuesday, etc?

Beispiel: Mo. a, d

Mo.
Di.
Mi.
Do.
Fr.
Sa.

ECHO • Detektiv

These phrases show that you are talking about the future:

in den Sommerferien *in the summer holidays*
morgen *tomorrow*
nächste Woche *next week*

You can also talk about what you are going to do each day:

Am Montag spielen wir Tennis.
On Monday we're playing tennis.

Lern weiter ➡ 5.5, Seite 120

hören 7

Hör zu und füll die Tabelle aus.

	Where?	How travelling?	How long for?	Weather	Plans?	Opinion
1	South of France	Car				
2						
3						

schreiben 8

Schreib über deine Phantasieferien mit einem Freund / einer Freundin.

Write about your fantasy holiday with a friend.

Beispiel: In den Sommerferien fahre ich mit Ben nach Florida. Das finde ich ... Wir fahren für ... mit dem ... Florida liegt ... Das Wetter ist ... Es gibt ... Man kann ... Wir essen gern ... Am Montag ... Am Dienstag ...

Remember: the verb must always be the second idea!

1	2	3
Am Montag	**spielen wir**	**Fußball.**

Lernzieltest

Check that you can:

1	● Name some towns in Germany, Austria or Switzerland	*Berlin, Wien, Bern*
	● Say whether a place is the capital city	*Das ist die Hauptstadt von Österreich.*
	● Describe where a town is situated	*Kiel liegt im Norden von Deutschland.*
	● Talk about the weather	*Es ist sonnig und windig.*
2	Ⓖ Say what there is in a town, using *es gibt*	*Es gibt einen Markt; es gibt eine Kirche.*
	Ⓖ Recognise plural forms of places in town	*zwei Kirchen, drei Schwimmbäder, vier Supermärkte*
	● Talk about types of transport	*Ich fahre mit dem Auto. Man kann mit dem Bus fahren.*
3	● Ask for directions	*Wo ist der Bahnhof?*
	● Give directions	*Geh geradeaus, nimm die erste Straße links, das ist auf der rechten Seite.*
	Ⓖ Give instructions using *du* and *Sie*	*Geh …; Gehen Sie …*
4	● Use *ich möchte* to ask for food and drink at a snack stall	*Ich möchte einmal Cola, bitte.*
	● Understand euros and cents	*Das macht zwei Euro fünfzig, bitte.*
	● Say what you like / dislike eating and drinking using *gern / nicht gern*	*Ich esse gern Pommes. Ich trinke nicht gern Kaffee.*
5	● Say where you are going in the summer holidays	*Ich fahre nach Wales.*
	● Say how long you are going for and how you are travelling there	*Wir fahren für eine Woche mit dem Auto.*
	Ⓖ Talk about the future, using the present tense with time expressions	*In den Sommerferien, bleibe ich zu Hause.*

1 Hör zu. Wo ist das? (1–6)

Beispiel: **1** *d – die Post*

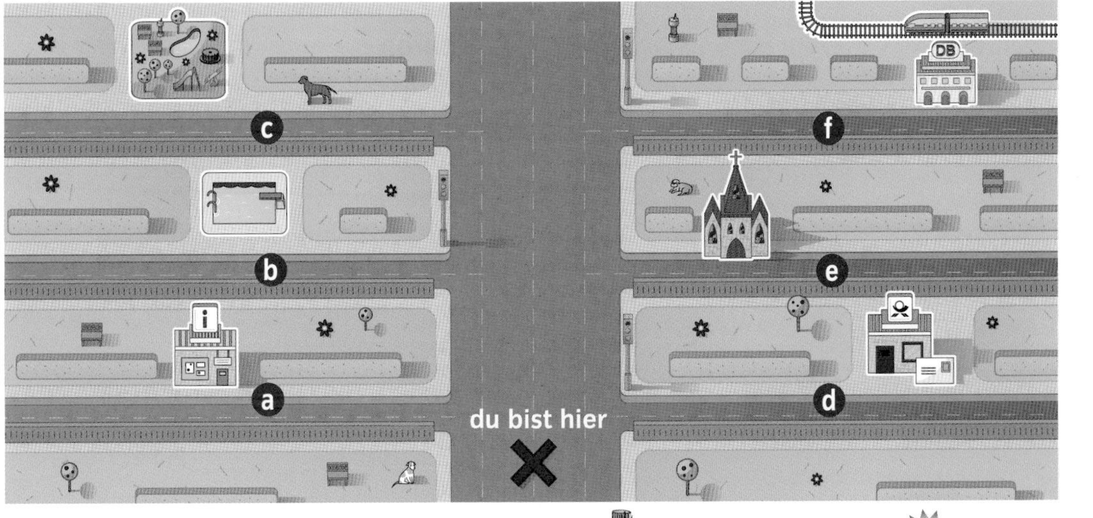

2 Partnerarbeit.

- Guten Tag. (Einmal Schaschlik) und (einmal Mineralwasser), bitte.
- Das macht (drei Euro fünfzig), bitte.
- Danke schön. Auf Wiedersehen.

3 Wie ist die richtige Reihenfolge?

Beispiel: c, g …

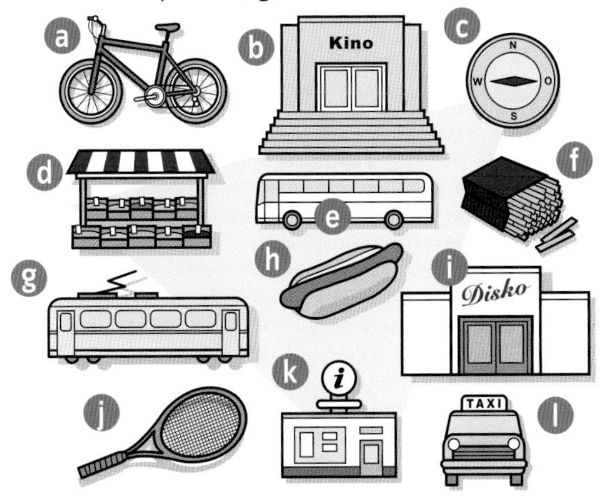

Leipzig für Touristen

Leipzig ist toll! Leipzig ist eine Großstadt. Sie liegt im Osten von Deutschland.

In Leipzig kann man mit der Straßenbahn fahren und mit dem Bus. Man kann auch mit dem Taxi fahren. Für Touristen gibt es hier ein Verkehrsamt.

Leipzig hat Kinos und Diskos. Es gibt auch Märkte und Museen. Man kann eine Fahrradtour machen oder Tennis spielen. An einer Imbissbude kann man Bratwurst oder Pommes essen. Leipzig ist nie langweilig!

4 Was machst du in den Sommerferien? Schreib acht Sätze.

Beispiel: In den Sommerferien fahren wir für zehn Tage nach Wales. Wir fahren mit dem Auto. Wir gehen schwimmen und wandern und essen Pommes. Das finde ich toll! …

Städte	***Towns***
Wo liegt Leipzig?	*Where is Leipzig?*
Das liegt …	*That's …*
im Norden von …	*in the North of …*
im Süden von …	*in the South of …*
im Osten von …	*in the East of …*
im Westen von …	*in the West of …*
Deutschland.	*Germany.*
Österreich.	*Austria.*
der Schweiz.	*Switzerland.*
Das ist die Hauptstadt von …	*That is the capital of …*

Das Wetter	***The weather***
Wie ist das Wetter?	*What's the weather like?*
Es ist …	*It's …*
schön.	*fine.*
sonnig.	*sunny.*
windig.	*windy.*
wolkig.	*cloudy.*
neblig.	*foggy.*
frostig.	*frosty.*
heiß.	*hot.*
warm.	*warm.*
kalt.	*cold.*
Es regnet.	*It's raining.*
Es schneit.	*It's snowing.*
Es donnert und blitzt.	*There's thunder and lightning.*

In der Stadt	***In town***
Was gibt es in Leipzig?	*What is there in Leipzig?*
Es gibt …	*There is …*
einen Bahnhof.	*a station.*
einen Markt.	*a market.*
einen Park.	*a park.*
einen Supermarkt.	*a supermarket.*
eine Post.	*a post office.*
eine Kirche.	*a church.*
ein Rathaus.	*a town hall.*
ein Schloss.	*a castle.*
ein Schwimmbad.	*a swimming pool.*
ein Verkehrsamt.	*a tourist office.*
Es gibt keinen Park.	*There isn't a park.*
Es gibt keine Post.	*There isn't a post office.*
Es gibt kein Schloss.	*There isn't a castle.*

Wie kann man fahren?	***How can you travel?***
mit dem Auto	*by car*
mit dem Bus	*by bus*
mit dem Taxi	*by taxi*
mit dem Zug	*by train*
mit der Straßenbahn	*by tram*
mit der U-Bahn	*by underground train*
Man kann mit dem Flugzeug fliegen.	*You can fly.*
Man kann zu Fuß gehen.	*You can walk.*

Wo ist das?	***Directions***
Wo ist …	*Where is …*
der Park?	*the park?*
der Markt?	*the market?*
die Kirche?	*the church?*
die Post?	*the post office?*
das Rathaus?	*the town hall?*
das Verkehrsamt?	*the tourist office?*
Geh …	*Go (informal) …*
Gehen Sie …	*Go (formal) …*
links.	*left.*
rechts.	*right.*
geradeaus.	*straight ahead.*
Nimm …	*Take (informal) …*
Nehmen Sie …	*Take (formal) …*
die erste Straße rechts.	*the first street on the right.*
die zweite Straße rechts.	*the second street on the right.*
die dritte Straße links.	*the third street on the left.*
Der … ist auf der rechten Seite.	*The … is on the right-hand side.*
Der … ist auf der linken Seite.	*The … is on the left-hand side.*

An der Imbissbude	***At the snack bar***
Ich möchte …	*I would like …*
einmal	*one*

zweimal	*two*
dreimal	*three*
Bratwurst	*grilled sausage*
Hamburger	*Hamburger*
Pizza	*pizza*
Pommes	*chips*
Schaschlik	*kebab*
Cola	*cola*
Limonade	*lemonade*
Mineralwasser	*mineral water*
Kaffee	*coffee*
Tee mit Milch	*tea with milk*
Tee mit Zitrone	*tea with lemon*
Ketchup	*ketchup*
Mayonnaise	*mayonnaise*
Senf	*mustard*
Das macht (zwei) Euro.	*That comes to (two) euros.*
Das macht (fünfzig) Cent.	*That comes to (fifty) cents.*
Danke schön.	*Thank you very much.*
Bitte schön.	*You're welcome.*

Die Sommerferien	***The summer holidays***
Was machst du in den Sommerferien?	*What are you doing in the summer holidays?*
Ich fahre …	*I'm going …*
Wir fahren …	*We're going …*
nach (Spanien).	*to (Spain).*
Ich bleibe zu Hause.	*I'm staying at home.*
Für wie lange?	*How long for?*
für zehn Tage	*for ten days*
für eine Woche	*for a week*
für zwei Wochen	*for two weeks*
Wie fährst du dahin?	*How are you going there?*
Wir fahren mit (dem Auto).	*We're going by (car).*
Wir fliegen.	*We're going by plane.*

Strategie 6

Plurals of nouns

When you see a German noun that looks familiar, but has a 'strange' ending on it, it's probably the plural form. Which nouns do you think these are the plural forms of?

Rathäuser
Flugzeuge
Schulen

When you look up a noun in the vocabulary list or a dictionary, you will find it listed in the singular form, with the plural form shown afterwards in brackets or bold print. Find the plurals of these three nouns:

Wurst
Bus
Straße

schreiben 1

Wie alt sind sie? *How old are they?*

Beispiel: **1** Ich bin vier Jahre alt.

lesen 2

Was passt zusammen? *Find the pairs.*

Beispiel: **1** *a*

1 Ich habe einen Kuli.
2 Das ist eine Schultasche.
3 Hast du eine Schere für mich?
4 Ich habe ein Wörterbuch und ein Lineal.
5 Der Bleistift ist blau.

a **b** **c** **d** **e** **f**

lesen 3

Was passt zusammen?

Beispiel: **1** *d*

1 *Wie geht's?*
2 *Wie heißt du?*
3 *Wie alt bist du?*
4 *Wo wohnst du?*
5 *Wie schreibt man das?*
6 *Wann hast du Geburtstag?*

a *Ich wohne in Österreich.*
b *Ich heiße Thomas.*
c *Am ersten Februar.*
d *Gut, danke.*
e *Ö - S - T - E - R - R - E - I - C - H*
f *Ich bin elf Jahre alt.*

schreiben 1

Ordne die Buchstaben.

Put the letters in the correct order to make words or phrases.

Beispiel: **1** hallo

1 **olahl**	2 **tinch chelscht**	3 **iwe hegst**
4 **tug enkad**	5 **ewi thieß ud**	6 **chint os tug**

lesen 2

Welcher Satz ist anders? Warum? *Which sentence is the odd one out? Why? (There is more than one possibility – explain your choice in English.)*

1
- **a** Ich bin neun Jahre alt.
- **b** Ich habe am neunten Mai Geburtstag.
- **c** Wann hast du Geburtstag?

2
- **a** Ich wohne in Paris.
- **b** Wohnst du in London?
- **c** Ich wohne in Deutschland.

3
- **a** Du hast ein Lineal.
- **b** Ich habe einen Bleistift.
- **c** Hast du einen Klebstift?

4
- **a** Der Computer ist blau.
- **b** Die Lampe ist grau.
- **c** Der Apfel ist grün.

lesen 3

Was hat Viktor in seiner Schultasche? Zeichne es in dein Heft.

What has Viktor got in his school bag? Draw the items in your exercise book.

Ich habe ein Lineal, einen Bleistift und ein Heft. Das Lineal ist braun, der Bleistift ist blau und das Heft ist gelb. Ich habe auch einen Klebstift – er ist grün. Ich habe eine Schere und einen Taschenrechner. Die Schere ist grau und der Taschenrechner ist schwarz und weiß. Ich habe einen Apfel.

schreiben 4

Was sagen sie?

Beispiel: **1** Ich heiße Josef. Ich bin ... Jahre alt. Ich habe am ... Geburtstag. Ich wohne in ... .

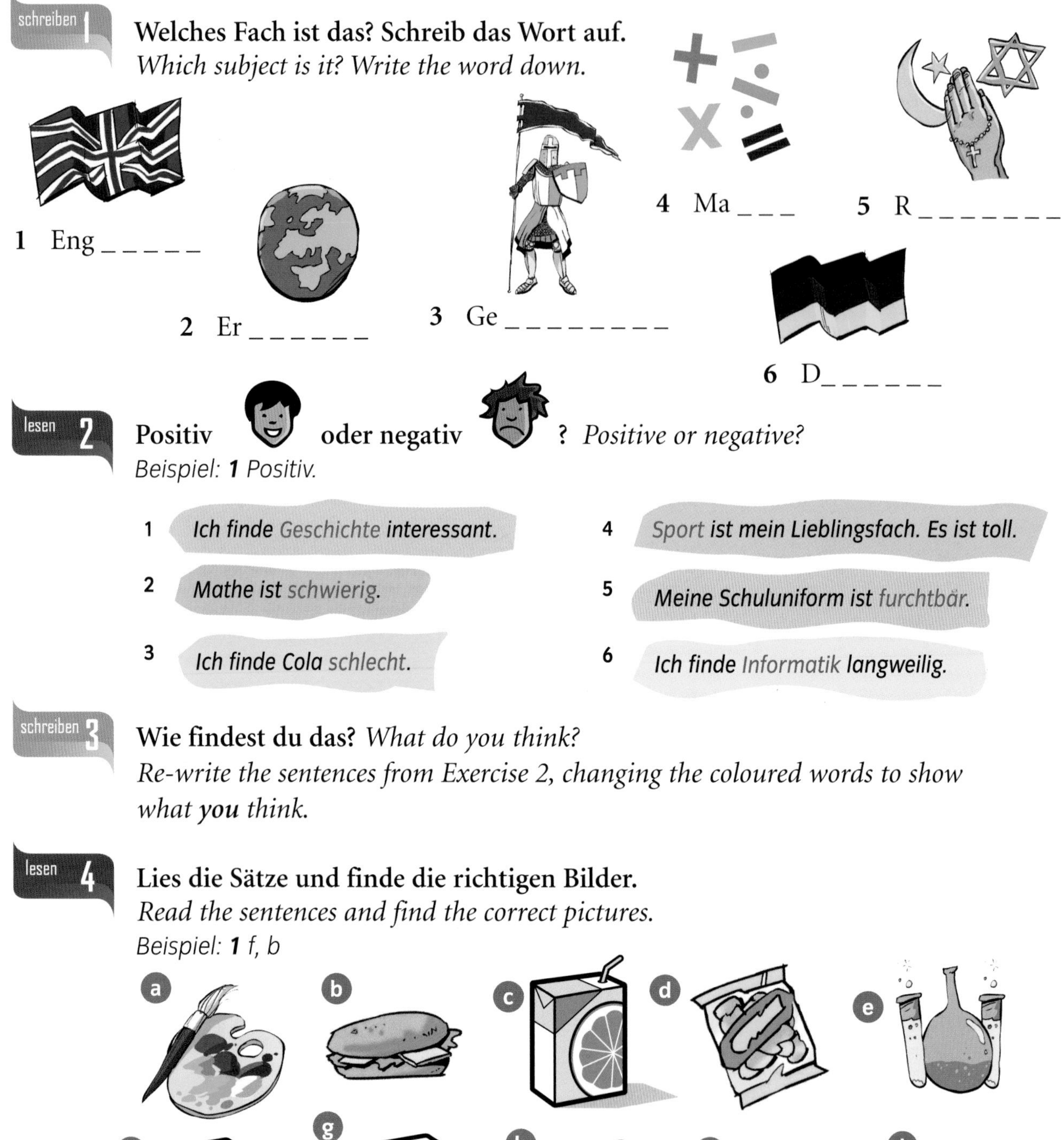

schreiben 1

Welches Fach ist das? Schreib das Wort auf.
Which subject is it? Write the word down.

1 Eng _ _ _ _ _
2 Er _ _ _ _ _ _
3 Ge _ _ _ _ _ _ _ _
4 Ma _ _ _
5 R _ _ _ _ _ _ _
6 D _ _ _ _ _ _

lesen 2

Positiv **oder negativ** ? *Positive or negative?*
Beispiel: ***1*** *Positiv.*

1 *Ich finde Geschichte interessant.*
2 *Mathe ist schwierig.*
3 *Ich finde Cola schlecht.*
4 *Sport ist mein Lieblingsfach. Es ist toll.*
5 *Meine Schuluniform ist furchtbar.*
6 *Ich finde Informatik langweilig.*

schreiben 3

Wie findest du das? *What do you think?*
Re-write the sentences from Exercise 2, changing the coloured words to show what ***you*** *think.*

lesen 4

Lies die Sätze und finde die richtigen Bilder.
Read the sentences and find the correct pictures.
Beispiel: ***1*** *f, b*

a b c d e f g h i j

1 Ich esse um acht Uhr ein Brötchen.
2 Naturwissenschaften beginnt um neun Uhr dreißig.
3 Ich esse um zwölf Uhr Chips.
4 Kunst endet um elf Uhr fünfzehn.
5 Ich trinke in der Pause um zehn Uhr dreißig Orangensaft.

lesen 1

Lies Valentinas Stundenplan. Richtig oder falsch? Schreib die Sätze richtig auf.

Beispiel: ***1*** *Falsch. Deutsch beginnt um acht Uhr zehn.*

1 Deutsch beginnt um acht Uhr fünf.
2 Kunst endet um zwölf Uhr fünfundzwanzig.
3 Sport endet um dreizehn Uhr fünfzehn.
4 Die erste Pause endet um neun Uhr vierzig.
5 Englisch beginnt um acht Uhr fünfundfünfzig.
6 Die zweite Pause beginnt um elf Uhr.

schreiben 2

Was sagt Valentina über die Schulfächer? Schreib sechs Sätze.

Beispiel: Ich finde Deutsch toll!

lesen 3

Lies die Texte und sieh dir das Bild an. Wer ist das?

Beispiel: ***1*** *Marie*

Wir haben keine Schuluniform. Ich trage in der Schule eine Hose und einen Pulli. Meine Lieblingshose ist rot und mein Pulli ist schwarz. Ich trage auch eine Jacke (sie ist blau). Ich trage Sportschuhe. Das finde ich sehr praktisch und bequem.

Lea

Ich trage in der Schule einen Jeansrock und ein T-Shirt. Mein Jeansrock ist toll! Er ist blau und das T-Shirt ist grün. Ich trage auch eine Jacke (sie ist schwarz und schick!). Ich trage braune Stiefel.

Marie

Wir haben keine Schuluniform. = *We don't have a school uniform.*

Was passt zusammen?
Beispiel: ***1*** *d*

1 Ich habe einen Bruder und eine Schwester.
2 Meine Mutter heißt Marion.
3 Meine Großmutter ist siebzig Jahre alt.
4 Mein Vater heißt Ulrich.
5 Mein Cousin ist Einzelkind.

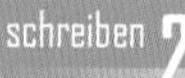

Verbinde die Worthälften. *Join the word halves together.*
Beispiel: Wellen + sittich = Wellensittich

Richtig oder falsch?
Beispiel: ***1*** *Richtig*

1 Mein Hamster ist braun.

2 Ich habe zwei Hunde, Micki und Zicki.

3 Ich habe einen Bruder. Er hat eine Schlange.

4 Meine Schwester hat ein Pferd. Es ist groß und schwarz.

5 Meine Großmutter hat drei Katzen.

6 Meine Tante hat einen Hund. Er ist sehr klein und schüchtern.

schreiben 4

Schreib den Text ab und füll die Lücken aus. Zeichne Boris.
Copy the description of Boris and fill the gaps. Draw Boris.

Hallo! Ich bin ___ und kräftig. Ich habe ___ , lockige Haare. Ich habe kurze ___ . Ich habe ___ Augen. Ich bin sehr ___ und sportlich. Ich bin ___.

blonde
musikalisch
grüne
groß
Haare
freundlich

1 Was passt zusammen? Füll die Lücken aus.

Beispiel: ***1*** *c Ich habe zwei Katzen.*

1 Ich habe ___ Katzen.
2 Ich habe eine ___ und ein Kaninchen.
3 Ich habe ___ Schildkröten.
4 Ich habe einen Wellensittich und ein ___ .
5 Ich habe einen ___ .
6 Ich habe ___ Goldfische und eine ___ .

lesen 2 Lies Annas Brief und beantworte die Fragen. Benutze „er" oder „sie".

Read Anna's letter and answer the questions. Use 'er' or 'sie'.

Hallo! Ich heiße Anna und ich wohne in Hamburg, in Deutschland. Ich bin ziemlich klein und schlank. Ich habe einen Bruder, Andreas. Er ist vierzehn Jahre alt. Andreas ist sehr launisch! Sein Lieblingsfach ist Sport. Mein Opa wohnt auch hier. Er wird am vierten April neunundsiebzig Jahre alt. Das ist sehr alt, aber er ist sehr lustig. Mein Vater wohnt in Amerika.

1 Wo wohnt Anna?
2 Wie sieht sie aus?
3 Wie heißt Annas Bruder?
4 Wie ist er?
5 Wann hat Annas Großvater Geburtstag?
6 Wo wohnt Annas Vater?

schreiben 3 Schreib den Text ab und füll die Lücken aus.

Stefan ist ___ Jahre alt. Er hat am 20 MAI Geburtstag. Er ist ___ und ___. Er hat ___ ___. Er hat ___ Haare. Er ist sehr ___ und ziemlich ___. Er ist auch ___. Er hat einen ___, Albi. Albi ist ___ und ___.

schreiben 4 Beschreib einen Freund / eine Freundin.

Beispiel: Daniel ist ...

schreiben 1

Was macht Matthias gern oder nicht gern? Schreib sechs Sätze.

What does Matthias like doing or not like doing? Write six sentences.

Beispiel: Er spielt gern Tennis.
Er spielt nicht gern Hockey.

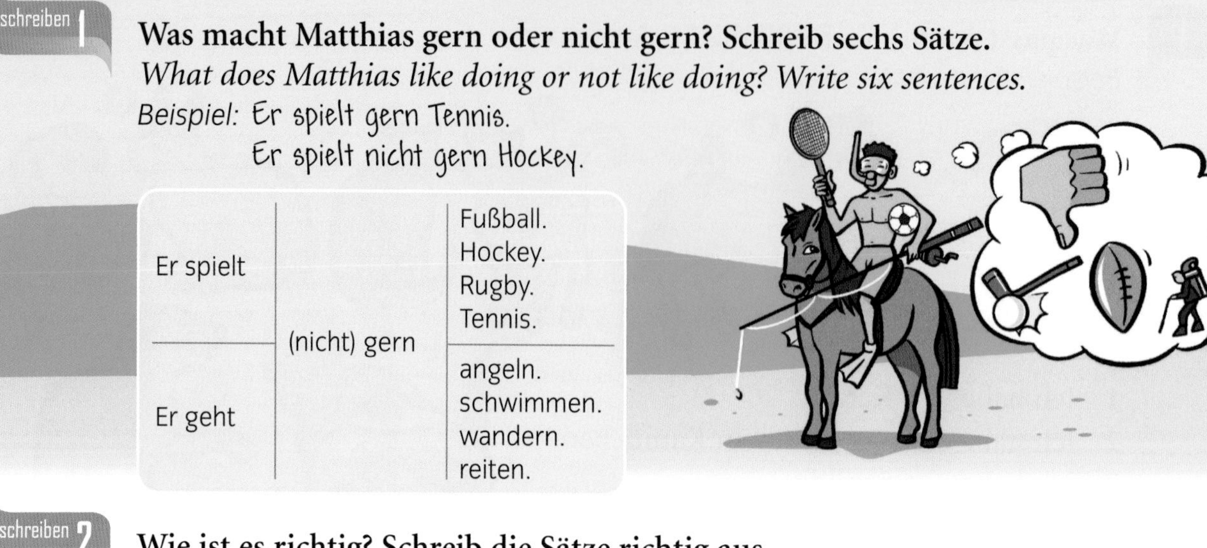

Er spielt	(nicht) gern	Fußball. Hockey. Rugby. Tennis.
Er geht		angeln. schwimmen. wandern. reiten.

schreiben 2

Wie ist es richtig? Schreib die Sätze richtig aus.

What should it be? Write the sentences with the correct endings.

Beispiel: ***1*** *Meine Lieblingsfarbe ist Grün.*

1 Meine Lieblingsfarbe ist	.....	eine Katze.
2 Mein Lieblingsauto ist	.....	Bayern München.
3 Meine Lieblingszahl ist	.....	Grün.
4 Meine Lieblingsmannschaft ist	.....	Mozart.
5 Mein Lieblingshaustier ist	.....	ein Mercedes.
6 Meine Lieblingsmusik ist	.....	dreizehn.

lesen 3

Was passt zusammen?

Beispiel: ***1*** *b*

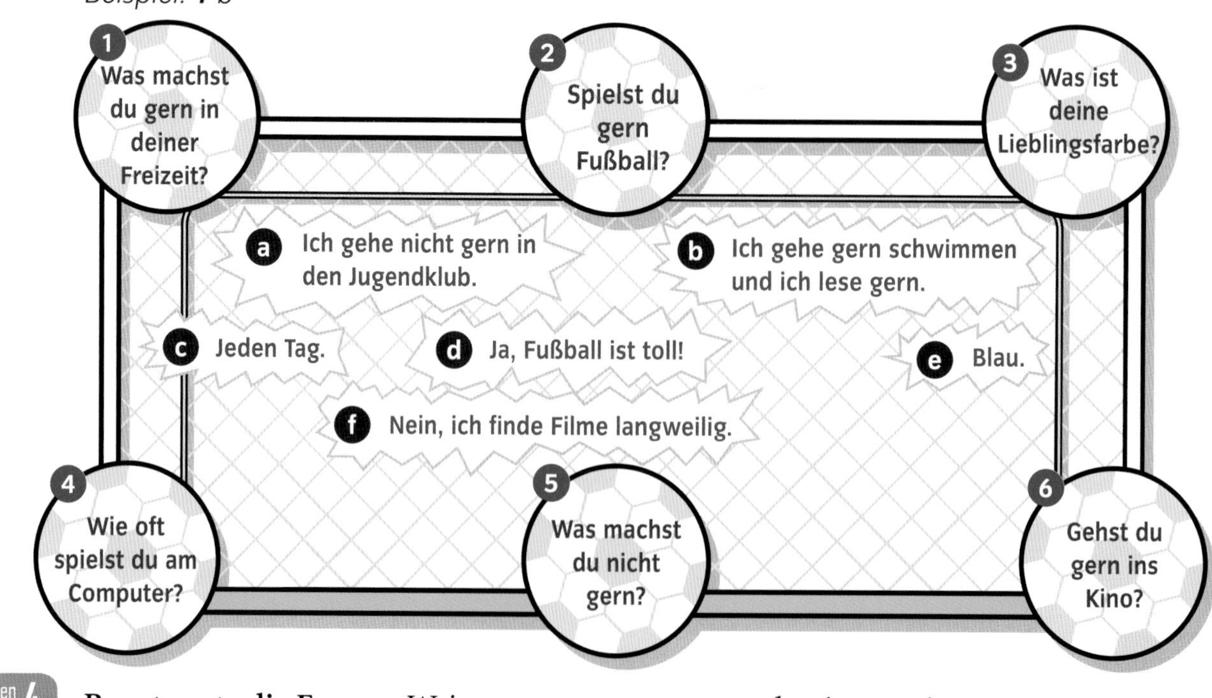

schreiben 4

Beantworte die Fragen. *Write your own answers to the six questions.*

lesen 1

Wer mag was? Schreib die Tabelle ab und füll sie mit Häkchen (✓) aus.

	Anton	Karin
Die Simpsons	✓	
Fußball		
klassische Musik		
Windsurfen		
Jugendklub		
Heavy Metal		

Liebe Karin,

ich bin der Anton aus der Klasse 8d. Ich bin sehr schüchtern in der Schule und ich habe eine Frage an dich. Möchtest du am Samstag mit mir in die Schuldisko gehen?

Du bist so toll! Du bist sehr sportlich und ich auch – ich spiele Fußball in der Schulmannschaft. Du bist musikalisch und ich höre auch gern Musik. Meine Lieblingsmusik ist Heavy Metal. Du siehst gern fern und ich auch. „Die Simpsons" ist meine Lieblingssendung. Du gehst einmal pro Woche in den Jugendklub und ich auch.

Ich liebe deine braunen Augen und du bist so lustig.

Schreib bald, bitte!

Dein

Anton

Hallo Anton,

nein, danke. Ich gehe am Samstag nicht mit dir in die Disko. Ja, ich bin musikalisch, aber ich liebe klassische Musik. Ich finde Heavy Metal schrecklich. Ja, ich bin sportlich, aber ich liebe Wassersport. Ich gehe gern am Wochenende windsurfen und Kanu fahren. Fußball ist furchtbar! „Die Simpsons" sind ziemlich doof und den Jugendklub finde ich langweilig – ich bin zu alt.

Tschüs,

Karin

schreiben 2

Lies die Briefe aus Aufgabe 1 noch mal. Schreib die Sätze ab und füll die Lücken aus.

1 ___ spielt ___ in der Schulmannschaft.
2 Karin _____ gern am Wochenende windsurfen ___ Kanu fahren.
3 Anton ist sehr _____ in der _____.
4 Karin ist zu _____ für den Jugendklub.
5 Anton ____ gern ___ ___ Musik.
6 ____ findet ____ furchtbar.
7 Anton findet Karin ____ und _____ .

Fußball schüchtern geht und lustig toll alt hört Anton Heavy Metal Fußball Karin Schule

schreiben 3

Schreib einen Brief und eine Antwort.
Write a letter like Anton's inviting someone out, and a reply.

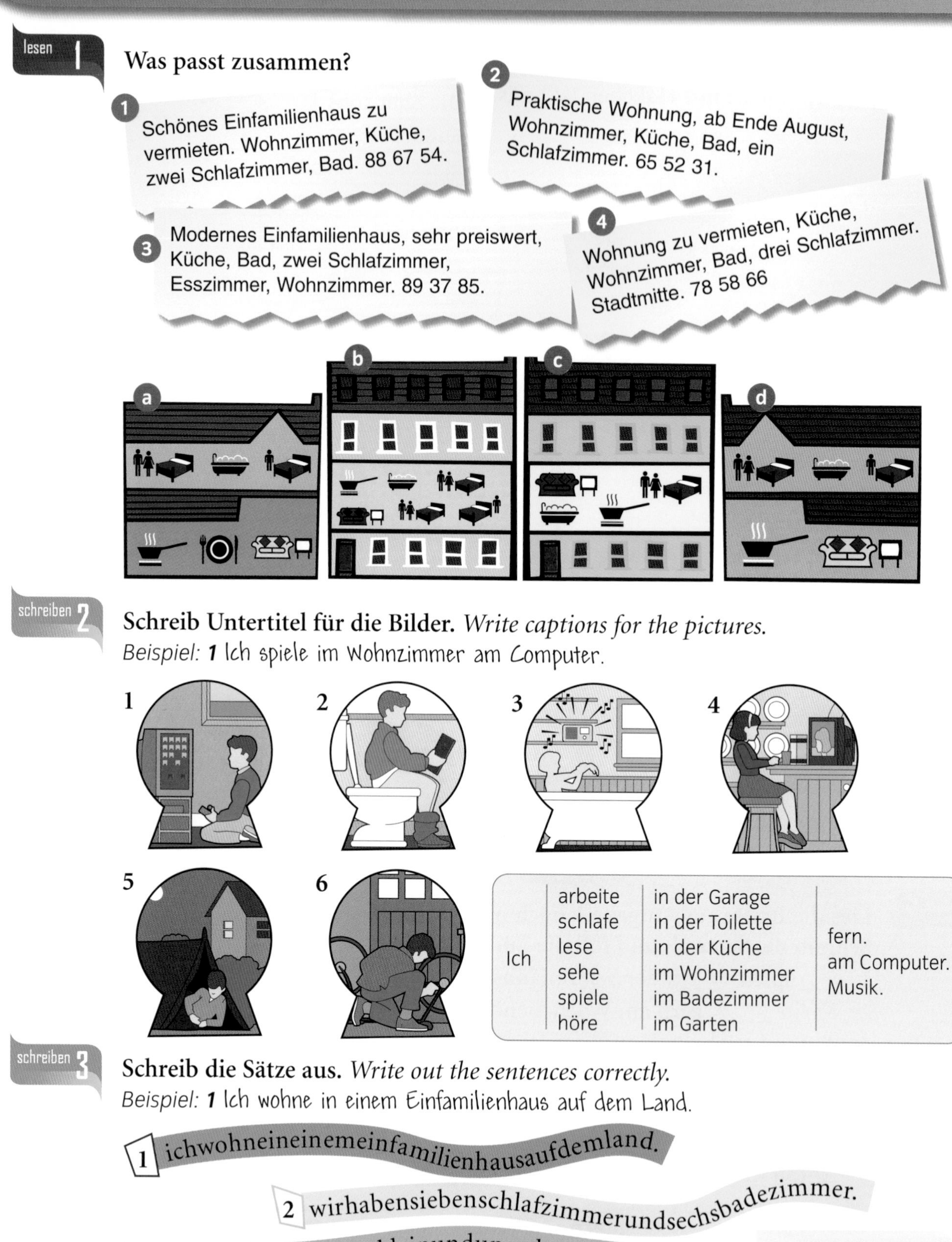

lesen 1

Was passt zusammen?

1 Schönes Einfamilienhaus zu vermieten. Wohnzimmer, Küche, zwei Schlafzimmer, Bad. 88 67 54.

2 Praktische Wohnung, ab Ende August, Wohnzimmer, Küche, Bad, ein Schlafzimmer. 65 52 31.

3 Modernes Einfamilienhaus, sehr preiswert, Küche, Bad, zwei Schlafzimmer, Esszimmer, Wohnzimmer. 89 37 85.

4 Wohnung zu vermieten, Küche, Wohnzimmer, Bad, drei Schlafzimmer. Stadtmitte. 78 58 66

schreiben 2

Schreib Untertitel für die Bilder. *Write captions for the pictures.*

Beispiel: **1** Ich spiele im Wohnzimmer am Computer.

Ich	arbeite schlafe lese sehe spiele höre	in der Garage in der Toilette in der Küche im Wohnzimmer im Badezimmer im Garten	fern. am Computer. Musik.

schreiben 3

Schreib die Sätze aus. *Write out the sentences correctly.*

Beispiel: **1** Ich wohne in einem Einfamilienhaus auf dem Land.

1 ichwohneineinemeinfamilienhausaufdemland.

2 wirhabensiebenschlafzimmerundsechsbadezimmer.

3 meinzimmeristsehrkleinundunordentlich.

4 meineadresseistteichstraßefünfundneunzig.

5 meincomputeristzwischendembettunddemschreibtisch.

Remember to begin nouns with capital letters!

lesen 1

Welches Zimmer ist das? Was macht man in dem Zimmer?

*Beispiel: **1** Die Küche – b*

1	IDE EKCHÜ	**a**	Man isst.
2	SAD RELMIZACHSFM	**b**	Man kocht.
3	SDA IMNORWEMZH	**c**	Man spielt Fußball.
4	ASD SEZIMERMS	**d**	Man sieht fern.
5	RED ARTENG	**e**	Man schläft.

Wo ist das im Zimmer? Was passt zusammen?

*Beispiel: **1** der Stuhl*

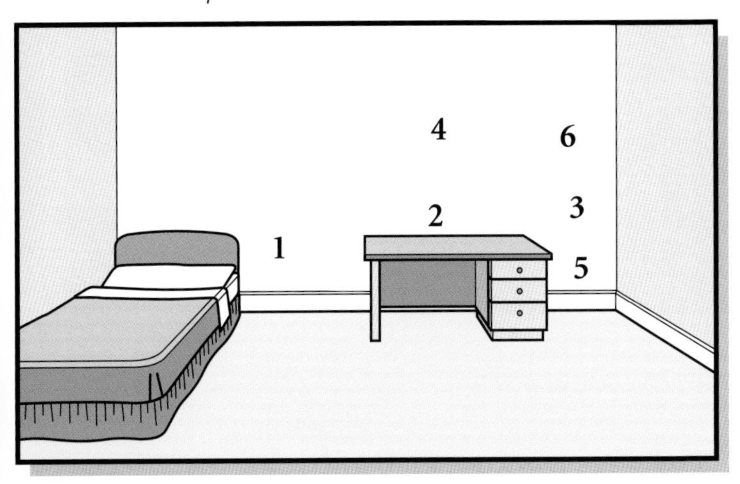

Mein Zimmer

Mein Zimmer ist klein, aber toll! Das Regal ist rechts neben dem Schreibtisch. Auf dem Regal sind alle meine Bücher für die Schule. Der Stuhl ist zwischen dem Bett und dem Schreibtisch. Er ist groß und sehr bequem. Die Stereoanlage ist unter dem Regal. Ich höre jeden Abend in meinem Zimmer Musik. Der Fernseher ist auf dem Schreibtisch. Meine Lieblingssendung ist „Die Simpsons". Auf dem Fernseher ist eine Diskette.

schreiben 3

Wie ist die richtige Reihenfolge? Schreib den Text ab und füll die Lücken aus.

Beispiel: 5, 1, ...
Hallo! Ich bin Zorka. Mein Hund ...

1 auf dem Planeten Blik. Wir haben einen großen .
Ich wohne in einem

2 Schlafzimmer. Wir haben keinen .
Mein Schlafzimmer ist sehr unordentlich, aber

3 Einfamilienhaus. Wir haben ein ,
eine Küche, ein und zwei

4 es ist groß und hell. Es gibt ein
und einen Stuhl. Auf dem habe ich

5 Hallo! Ich bin Zorka. Mein heißt Zluk.
Ich wohne in Bloork, das ist ein Dorf

6 einen . Ich sehe gern fern. Mein Zimmer ist toll!

lesen **1**

Wo geht man hin? *Where are you being directed to?*
Beispiel: ***1** das Verkehrsamt*

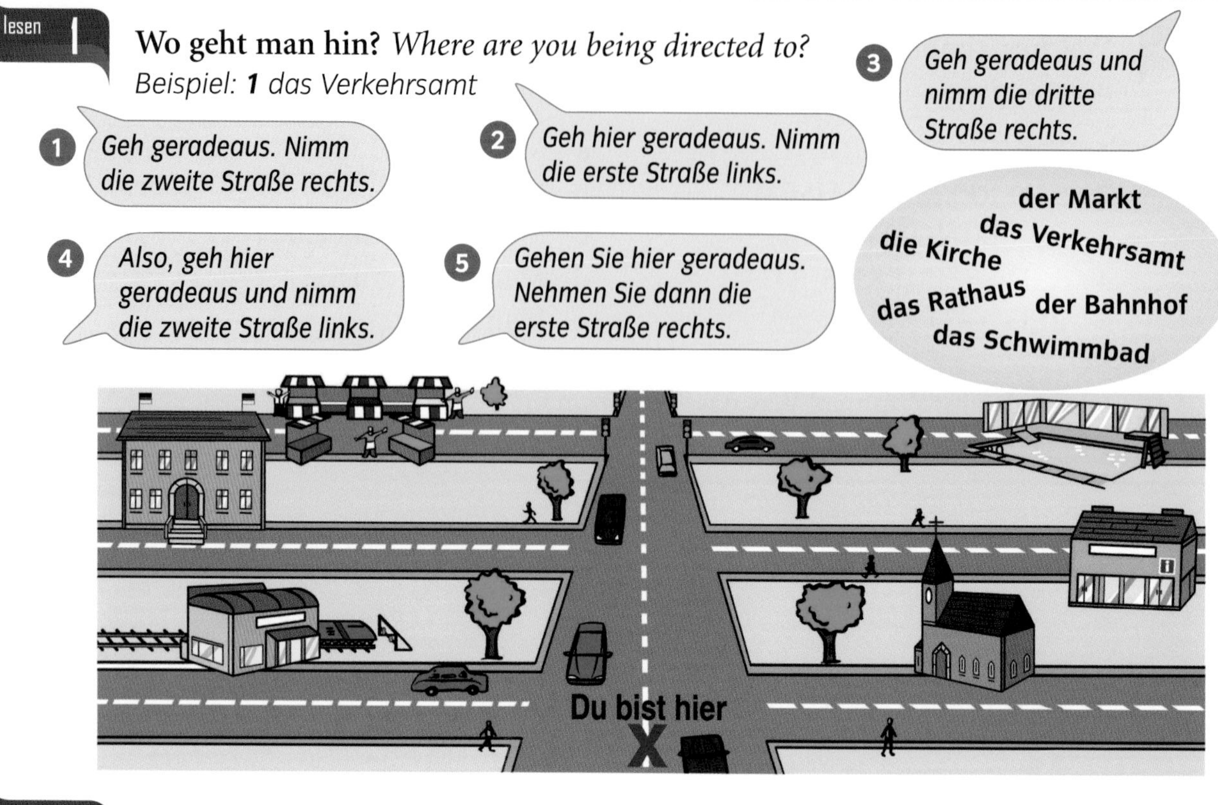

lesen **2**

Ordne das Gespräch. *Put the conversation in order.*
Beispiel: b, ...

a Das macht zwei Euro fünfzig.
b Guten Tag.
c Auf Wiedersehen.
d Zwei Euro fünfzig. Bitte schön.
e Guten Tag. Ich möchte einmal Pommes und eine Flasche Cola, bitte.
f Danke schön. Auf Wiedersehen.

schreiben **3**

Schreib die Tabelle ab und ordne die Wörter der richtigen Kategorie zu.
Copy the grid and put the words into the right categories.

In der Stadt	Transport	Wo?	Essen	Trinken	Land	Großstadt
Schwimmbad						

Wurst Straße Senf Berlin Auto Tee links Irland
Schwimmbad Zug Bern Markt Bier die Schweiz

schreiben **4**

Schreib noch drei Wörter für jede Kategorie.
Write three more words in each category.

lesen 1

Ist das Osnabrück oder Quakenbrück?

Beispiel:

O	Q
	a

~ Osnabrück ~

Die Großstadt Osnabrück liegt in Deutschland, im Norden. Osnabrück ist sehr interessant. Für Touristen gibt es Kirchen, Museen und Parks. Natürlich gibt es auch ein Verkehrsamt. Es gibt einen Bahnhof. Man kann mit dem Zug nach Hamburg im Norden oder nach Köln im Süden fahren. In der Stadt kann man auch mit dem Bus fahren, aber es gibt keine U-Bahn oder Straßenbahn. In der Stadtmitte gibt es Restaurants und Cafés. Man kann auch an einer Imbissbude essen. Eine Bratwurst oder Pommes mit Mayonnaise ist lecker! Osnabrück ist nie langweilig.

Quakenbrück

Quakenbrück liegt auch im Norden von Deutschland. Das ist eine Kleinstadt, fünfzig Minuten mit dem Zug von Osnabrück. Die Stadt ist ziemlich bekannt für ihre alten Häuser. Es gibt Schulen, Supermärkte, ein Eiscafé und zwei alte Kirchen. Es gibt auch ein kleines Rathaus. Man kann ins Kino gehen, aber das Kino ist sehr klein. Man kann auch im Sportzentrum Fußball oder Basketball spielen. Quakenbrück hat eine gute Basketballmannschaft: „Die Drachen". Es gibt zwei große Schwimmbäder. Jeden Freitag gibt es auf dem Marktplatz einen Markt – das ist toll.

lesen 2

Richtig (R), falsch (F) oder nicht im Text (N)?

Die Drachen = *The Dragons*

1. Osnabrück ist ein interessantes Dorf.
2. Die Häuser in Quakenbrück sind alt.
3. Das Verkehrsamt in Osnabrück ist gut.
4. Jeden Tag gibt es in Quakenbrück einen Markt.
5. Osnabrück hat keine U-Bahn.
6. In Quakenbrück gibt es zwei Supermärkte.

schreiben 3

Schreib Pläne für einen Tag in Quakenbrück.

Beispiel: Am Samstag fahren wir mit dem Zug nach Quakenbrück.
Wir sehen … . Wir essen … . Wir spielen … . Wir …

Glossary of grammatical terms

adjective	a describing word (**grün, doof, interessant**); the possessive adjectives are the words for *my, your, his*, etc. (**mein/meine/mein; dein/deine/dein; sein/seine/sein**)
adverb	a word used to describe an action (**immer, oft, nie**)
article	the words for *the* and *a* (**der/die/das; ein/eine/ein**)
connective	a word used to join together two phrases or sentences (**und, aber**)
gender	whether a noun is masculine, feminine or neuter (masculine: **der Fußball**; feminine: **die Maus**; neuter: **das Bett**)
imperative	the command form of the verb (**geh! nimm! nehmen Sie!**)
infinitive	the dictionary form of the verb (**haben, wohnen, sein**)
irregular verb	a verb which does not follow the usual rules (**essen, lesen, sein**)
noun	a word which names a thing or person (**Katze, Vater, Mathe**)
plural	referring to more than one of something (**die Goldfische, vier Zimmer**)
preposition	a word used to describe where someone or something is (**auf, in, unter**)
pronoun	a word which stands in place of a noun (**er, sie, es**)
qualifier	a word which makes an adjective stronger or weaker (**sehr, ziemlich, nicht sehr**)
regular verb	a verb which follows the usual rules (**wohnen, spielen**)
singular	referring to only one of something (**der Hund, ein Sandwich**)
verb	a word used to say what is being done or what is happening (**gehen, lesen**)

1 Nouns

A noun is a word that names a thing or person. All nouns in German begin with a capital letter.

1.1 Gender

Nouns in German have one of three genders: masculine, feminine or neuter. The gender is shown in the **Wortschatz** lists by **der, die** or **das** before the word.

masculine	**der Apfel** (*the apple*)
feminine	**die Lampe** (*the lamp*)
neuter	**das Auto** (*the car*)

When you learn a new noun, you need to learn its gender too.

1 Look up the genders of these nouns in the **Wortschatz.** Write the English meaning.

*Beispiel: **1** Garten – masculine (**der**), garden*

1 Garten
2 Hemd
3 Hose
4 Kaninchen
5 Keks
6 Küche
7 Lineal
8 Schere
9 Schlange
10 Wasser

1.2 Singular/Plural

In English, we make most nouns plural by adding *-s* to the end:

singular: car
plural: cars

In German, there are several different plural endings. These are the most common ones:

Ending	Example	
-e	**Pferde**	*horses*
-n	**Schwestern**	*sisters*
-en	**Frauen**	*women*
(no ending)	**Hamster**	*hamsters*
¨	**Äpfel**	*apples*
¨e	**Stühle**	*chairs*
¨er	**Bücher**	*books*
-s	**CDs**	*CDs*

You need to learn which plural ending goes with each noun.

2 Write the plurals of these nouns. (You will need to look up 6–10 in the **Wortschatz.**)

Beispiel: ***1*** *Apfel (¨) – Äpfel*

1 Apfel (¨)
2 Bleistift (-e)
3 Bruder (¨)
4 Diskette (-n)
5 Katze (-n)
6 Hund
7 Kaninchen
8 Keks
9 Auto
10 Stuhl

2 Articles

Articles are the words for:

- *the* **der/die/das**
- *a* **ein/eine/ein**
- *not a* **kein/keine/kein**

2.1 The definite article

The definite article in English is *the.* In German, it is **der, die** or **das** – depending on the gender of the noun it goes with.

masculine (*m*) **der Apfel**
feminine (*f*) **die Lampe**
neuter (*n*) **das Auto**
plural (*pl*) **die Äpfel / Lampen / Autos**

3 Write each noun with the word for *the.*

Beispiel: ***1*** *das Bett*

1 Bett (*n*)
2 Brötchen (*n*)
3 Bruder (*m*)
4 Lineal (*n*)
5 Orange (*f*)
6 Saft (*m*)

2.2 The indefinite article

The indefinite article in English is *a* or *an.* In German, it is **ein** or **eine** – depending on the gender of the noun it goes with.

masculine (*m*) **ein Apfel**
feminine (*f*) **eine Lampe**
neuter (*n*) **ein Auto**

4 Write each noun with the word for *a.*

Beispiel: ***1*** *eine Schlange*

1 Schlange (*f*)
2 Tante (*f*)
3 Klebstift (*m*)
4 Etui (*n*)
5 Hose (*f*)
6 Goldfisch (*m*)

2.3 The nominative case (subject)

The subject of the sentence is the person or thing which 'does' the verb, e.g.

Die Maus trinkt den Tee.
The mouse drinks the tea.

Here, **die Maus** is the subject, because it's the one doing the drinking. We say that **die Maus** is *in the nominative case.*

Here are the definite article (*the*) and the indefinite article (*a*) in the nominative:

	m	*f*	*n*	*pl*
the	der	die	das	die
a	ein	eine	ein	–

5 Write out these sentences and underline the subject in each one.

Beispiel: ***1*** *Ich finde Mathe langweilig.*

1 Ich finde Mathe langweilig.
2 Marcus hat kurze, lockige Haare.
3 Mein Cousin spielt Gitarre.
4 Tanja isst einen Apfel.
5 Hast du einen Bleistift für mich?
6 Religion beginnt um elf Uhr.

6 Write out each sentence with the correct word for *the*. Think carefully about the gender.

Beispiel: ***1*** *Der Kuli ist blau.*

1 D__ Kuli ist blau.
2 Sind d__ Jeans blau?
3 D__ Schuhe sind lila.
4 D__ Pferd ist groß und braun.
5 D__ Schuluniform ist schwarz und rot.
6 D__ Kaninchen ist weiß.

2.4 The accusative case (object)

The object of the sentence is the person or thing to which the verb is 'done', e.g.

Die Maus trinkt den Tee.
The mouse drinks the tea.

Here, **den Tee** is the object, because it is being drunk. We say that **den Tee** is *in the accusative case.*

Here are the definite article (*the*) and the indefinite article (*a*) in the accusative:

	m	*f*	*n*	*pl*
the	den	die	das	die
a	einen	eine	ein	–

7 Write out these sentences and underline the object in each one.

Beispiel: ***1*** *Sie isst ein Brötchen.*

1 Sie isst ein Brötchen.
2 Ich habe einen Bleistift.
3 Hast du eine Diskette?
4 Ich trage eine Jacke.
5 Susi hat ein Pferd.
6 Ich habe keine Haustiere.

8 Write out each sentence with the correct word for *a*. Think carefully about the gender.

Beispiel: ***1*** *Ich habe einen Bleistift.*

1 Ich habe e__ Bleistift.
2 Hast du e__ Diskette?
3 Ich trage e__ Rock und e__ Hemd.
4 Ich esse e__ Brötchen.
5 Hast du e__ Kuli für mich?
6 Ich habe e__ Wellensittich.

2.5 The dative case

The dative case is used after the prepositions **auf** (*on*), **unter** (*under*), **in** (*in*), **neben** (*next to*), **hinter** (*behind*) and **zwischen** (*between*), e.g.

Die Maus ist hinter dem Buch.
The mouse is behind the book.

Here, **dem Buch** is *in the dative case,* because it comes after **hinter**.

Here is the definite article (*the*) in the dative:

	m	*f*	*n*	*pl*
the	dem	der	dem	den

9 Which of these sentences contain examples of the dative case? Explain why.

Beispiel: ***1** – because of 'auf'*

1. Die CD ist auf dem Schreibtisch.
2. Ich habe einen Schreibtisch und einen Computer.
3. Die Lampe ist zwischen dem Bett und der Kommode.
4. Mein Zimmer ist klein und dunkel.
5. Es gibt einen Keller, aber keinen Garten.
6. Ich wohne in einem Reihenhaus.

2.6 The negative article (kein/keine/kein)

Kein means *not a* or *no*. You use it to talk about what there isn't or what you haven't got:

Ich habe keinen Bruder.
I haven't got a brother.

Kein takes the same endings as **ein/eine/ein** when you use it in sentences:

	m	*f*	*n*	*pl*
nominative	**kein**	**keine**	**kein**	**keine**
accusative	**keinen**	**keine**	**kein**	**keine**

10 Write out the sentences, filling the gaps with the correct (dative) forms of the definite article. (Check the genders of the nouns using the **Wortschatz**.)

Beispiel: ***1** Die Katze ist hinter **dem** Fernseher.*

1. Die Katze ist hinter … Fernseher.
2. Die Gitarre ist auf … Sofa.
3. Mutti ist in … Küche.
4. Das Esszimmer ist zwischen … Küche und … Wohnzimmer.
5. Die Stereoanlage ist auf … Regal.
6. Das Wörterbuch ist neben … Schultasche.
7. Wo ist der Hund? Unter … Stuhl.
8. Oma schläft in … Garten.

11 What doesn't Beate have? Write sentences using the words in the box.

Beispiel: ***1** Beate hat keinen Computer.*

Computer (*m*)	Gitarre (*f*)
Fernseher (*m*)	Jacke (*f*)
Katzen (*pl*)	Freunde (*pl*)

2.7 Possessive adjectives

The possessive adjectives are the words for *my, your, his/her,* etc. The possessive adjectives used in this book are:

mein *my* — **sein** *his, its*
dein *your* — **ihr** *her, its*

The possessive adjectives have the same endings as **ein/eine/ein** and **kein/keine/kein**:

	m	*f*	*n*	*pl*
nominative	**mein**	**meine**	**mein**	**meine**
	dein	**deine**	**dein**	**deine**
	sein	**seine**	**sein**	**seine**
	ihr	**ihre**	**ihr**	**ihre**
accusative	**meinen**	**meine**	**mein**	**meine**
	deinen	**deine**	**dein**	**deine**
	seinen	**seine**	**sein**	**seine**
	ihren	**ihre**	**ihr**	**ihre**

12 *My*, *your*, *his* or *her*?

Beispiel: ***1*** *your*

1 Ist das **dein** Etui?
2 **Mein** Bruder heißt Hanno.
3 **Seine** Mutter ist achtunddreißig Jahre alt.
4 Was ist **dein** Lieblingsfach?
5 **Ihr** Lieblingsfach ist Mathe.
6 Wo ist **meine** Jacke?
7 **Seine** Lieblingsfarbe ist Rot.
8 Was machst du in **deiner** Freizeit?

13 Choose the right form of the possessive adjective. They are all in the nominative case.

Beispiel: ***1*** *Mein Zimmer ist ziemlich groß.*

1 Mein / Meine Zimmer ist ziemlich groß.
2 Ihre / Ihr Lieblingssport ist Rugby.
3 Was ist deine / dein Lieblingssendung?
4 Mein / Meine Mutter ist freundlich.
5 Das ist ihre / ihr Kaninchen.
6 Ist das dein / deine Wörterbuch?
7 Mein / Meine Vater ist groß und schlank.
8 Seine / Sein Hamster heißt Knirps.

3 Adjectives

An adjective is a describing word like *green*, *silly* or *interesting*.

3.1 Adjective endings

In German, an adjective takes an ending when it is used in front of a noun:

der braune Hund *the brown dog*

If the adjective is used after the noun, no ending is needed:

Der Hund ist braun. *The dog is brown.*

14 Choose the correct form of the adjective and write out each sentence.

Beispiel: ***1*** *Sie hat braune Augen.*

1 Sie hat braune / braun Augen.
2 Ihr T-Shirt ist bunt / bunte.
3 Sie trägt schick / schicke Sportschuhe.
4 Meine Schwester ist intelligent / intelligente.
5 Er hat blau / blaue Augen.
6 Ich trage eine grau / graue Jacke.
7 Ich habe eine intelligent / intelligente Ratte.
8 Mein Bruder ist kräftig / kräftige.
9 Ich finde Naturwissenschaften schwierig / schwierige.
10 Hast du grau / graue Augen?

4 Pronouns

A pronoun is a word that stands in place of a noun, e.g. *he*, *she* or *it*.

4.1 The pronouns

The pronouns used in this book are:

ich	*I*
du	*you* (familiar)
er	*he, it*
sie	*she, it*
es	*it*
man	*one*
wir	*we*
Sie	*you* (formal, polite)
sie	*they*

15 Write out each sentence with the correct pronoun.

*Beispiel: **1** Wir spielen gern Volleyball.*

1 … spielen gern Volleyball. (*we*)
2 … fährt nicht gern Rad. (*he*)
3 … geht am Montag schwimmen. (*she*)
4 Spielst … gern Tennis? (*you – familiar*)
5 … sehe jeden Tag fern. (*I*)
6 Spielen … gern Fußball? (*you – polite*)
7 … ist hinter dem Kleiderschrank. (*it – neuter*)
8 … trinken Cola oder Orangensaft. (*they*)
9 Liest … gern Bücher? (*you – familiar*)
10 … spielt gern am Computer. (*she*)

4.2 The pronoun *it*

In German, there are three ways of saying *it*, depending on the gender of the noun.

	m	*f*	*n*
nominative	**er**	sie	es

Er is for masculine nouns:
<u>Der Pullover</u> ist rot. → <u>Er</u> ist rot.
The pullover is red. → It is red.

Sie is for feminine nouns:
<u>Die Diskette</u> ist gelb. → <u>Sie</u> ist gelb.
The disk is yellow. → It is yellow.

Es is for neuter nouns:
<u>Das Buch</u> ist schwarz. → <u>Es</u> ist schwarz.
The book is black. → It is black.

16 Rewrite the sentences using **er, sie** or **es** in place of the underlined noun. If you need to, check in the back of the book to see if the nouns is masculine (**der**), feminine (**die**) or neuter (**das**).

*Beispiel: **1 Es** ist lecker.*

1 <u>Das Brötchen</u> ist lecker.
2 <u>Die Schultasche</u> ist blau und weiß.
3 <u>Das Buch</u> ist sehr langweilig.
4 <u>Der Hund</u> ist ziemlich lustig.
5 Wo ist <u>der Taschenrechner</u>?
6 Ist <u>dein T-Shirt</u> blau oder lila?
7 <u>Mein Zimmer</u> ist super.
8 <u>Meine Katze</u> ist sehr intelligent.

4.3 man

Man is used to talk about what people in general do:

Man kann hier ins Kino gehen.
One/People/You can go to the cinema here.

Man is used much more in German than *one* is in English. After **man**, you use the same part of the verb as for **er, sie** or **es**.

17 How would you say these sentences in English?

*Beispiel: **1** You can cycle.*

1 Man kann mit dem Rad fahren.
2 Wo kann man Fußball spielen?
3 Man kann ins Rathaus gehen.
4 Kann man ins Kino gehen?
5 Man kann mit der Straßenbahn fahren.

4.4 Words for *you* (du / Sie)

German has more than one word for *you.*

Use **du:**

- when you are talking to a young person or a pet
- when you are talking to a friend or relative

Use **Sie:**

- when you are talking to a teacher
- when you are talking to an adult whom you do not know well

Notice that **Sie** is always written with a capital letter. **Sie** and **du** need different forms of the verb:

Max, wohnst du in Osnabrück?
Max, do you live in Osnabrück?
Frau Behn, wohnen Sie in Dresden?
Mrs Behn, do you live in Dresden?

18 Decide whether you should use **du** or **Sie** in each of these situations.

Beispiel: ***1** du*

1 You are talking to your penfriend.
2 You want to ask your German teacher a question.
3 You are talking to a teenager you don't know.
4 You are talking to a stranger's dog.
5 You are talking to a policewoman.
6 You are being introduced to your exchange partner's parents.

5 Verbs

A verb is a word used to say what is being done or what is happening, e.g. *go, read, swim.*

5.1 The infinitive

When you look for a verb in a dictionary, you will find it in the infinitive form. Most infinitives end in **-en:**

wohnen *to live*
finden *to find*

19 Write down the ten infinitives from the verbs in the box.

essen isst hören gehen höre heißt gehst haben hast ist schwimmen liest lesen sein trinken wohnen heißen

5.2 Regular verbs

Verbs take different endings depending on the subject. Regular verbs all follow the same pattern:

spielen		*to play*
ich	spiele	*I play*
du	spielst	*you play*
er/sie/es	spielt	*he/she/it plays*
wir	spielen	*we play*
ihr	spielt	*you play (plural)*
Sie	spielen	*you play (polite)*
sie	spielen	*they play*

20 Write out each sentence using the correct form of the verb.

1 Ich … jeden Tag Gitarre. (spielen)
2 Er … sehr gern. (faulenzen)
3 Sie (*she*) … in einer Wohnung. (wohnen)
4 Wir … oft ins Kino. (gehen)
5 … Sie in Leipzig? (wohnen)
6 … du gern am Computer? (spielen)
7 Lisa und Max … gern in den Jugendklub. (gehen)
8 Wir … in einer Großstadt. (wohnen)
9 Alex … gern Rockmusik. (hören)
10 Vati und Mutti … in der Küche. (kochen)

5.3 Irregular verbs

Some verbs do not follow the regular pattern, and are called 'irregular' verbs.

essen		***to eat***
ich	esse	*I eat*
du	isst	*you eat*
er/sie/es	isst	*he/she/it eats*
wir	essen	*we eat*
ihr	esst	*you eat (plural)*
Sie	essen	*you eat (polite)*
sie	essen	*they eat*

fahren		***to drive/travel***
ich	fahre	*I drive/travel*
du	fährst	*you drive/travel*
er/sie/es	fährt	*he/she/it drives/travels*
wir	fahren	*we drive/travel*
ihr	fahrt	*you drive/travel (plural)*
Sie	fahren	*you drive/travel (polite)*
sie	fahren	*they drive/travel*

lesen		***to read***
ich	lese	*I read*
du	liest	*you read*
er/sie/es	liest	*he/she/it reads*
wir	lesen	*we read*
ihr	lest	*you read (plural)*
Sie	lesen	*you read (polite)*
sie	lesen	*they read*

nehmen		***to take***
ich	nehme	*I take*
du	nimmst	*you take*
er/sie/es	nimmt	*he/she/it takes*
wir	nehmen	*we take*
ihr	nehmt	*you take (plural)*
Sie	nehmen	*you take (polite)*
sie	nehmen	*they take*

schlafen		***to sleep***
ich	schlafe	*I sleep*
du	schläfst	*you sleep*
er/sie/es	schläft	*he/she/it sleeps*
wir	schlafen	*we sleep*
ihr	schlaft	*you sleep (plural)*
Sie	schlafen	*you sleep (polite)*
sie	schlafen	*they sleep*

sehen		***to see/watch***
ich	sehe	*I see/watch*
du	siehst	*you see/watch*
er/sie/es	sieht	*he/she/it sees/watches*
wir	sehen	*we see/watch*
ihr	seht	*you see/watch (plural)*
Sie	sehen	*you see/watch (polite)*
sie	sehen	*they see/watch*

21 Using the verb tables above, translate these phrases into German.

Beispiel: ***1*** *ich nehme*

1 I take
2 you sleep (**du**)
3 you watch (**du**)
4 he watches
5 she reads
6 you travel (**du**)
7 I eat
8 he eats
9 she sleeps
10 they sleep

22 Write out the sentences, filling the gaps with the correct forms of the verbs in brackets.

Beispiel: ***1*** *Ich* ***fahre*** *mit dem Bus. (fahren)*

1 Ich … mit dem Bus. (fahren)
2 … du gern Bücher? (lesen)
3 Du … mit der U-Bahn. (fahren)
4 Vati … manchmal im Wohnzimmer. (schlafen)
5 Wir … immer mit dem Zug. (fahren)
6 Du … im Garten. (schlafen)
7 … du gern fern? (sehen)
8 Max … ein Buch. (lesen)
9 Was … du gern? (essen)
10 Sie (*they*) … Kuchen und Schokolade. (essen)

5.4 Sein and haben

Sein (*to be*) and **haben** (*to have*) are very irregular. You will need them often, so you should learn them by heart.

sein		***to be***
ich	**bin**	*I am*
du	**bist**	*you are*
er/sie/es	**ist**	*he/she/it is*
wir	**sind**	*we are*
ihr	**seid**	*you are (plural)*
Sie	**sind**	*you are (polite)*
sie	**sind**	*they are*

haben		***to have***
ich	habe	*I have*
du	**hast**	*you have*
er/sie/es	**hat**	*he/she/it has*
wir	haben	*we have*
ihr	habt	*you have (plural)*
Sie	haben	*you have (polite)*
sie	haben	*they have*

23 Write out the sentences using the correct form of the verb **haben**.

*Beispiel: **1** Ich habe eine Ratte.*

1 Ich … eine Ratte.
2 … du ein Haustier?
3 … er Geschwister?
4 Wir … ein Pferd und zwei Goldfische.
5 Du … rote Haare und grüne Augen.
6 Wann … Peter Geburtstag?
7 Stefan und Alex … rote Haare.

24 Write out the sentences using the correct form of the verb **sein**.

*Beispiel: **1** Susi ist ziemlich freundlich.*

1 Susi … ziemlich freundlich.
2 Ich … nicht schüchtern.
3 Seine Großmutter … einundneunzig Jahre alt.

Continued above

4 Meine Lieblingsfarben … rot und blau.
5 Wie alt … du?
6 Wir … intelligent, aber ziemlich faul!
7 Meine Jeans … blau und weiß.

25 Translate these sentences into German. The words in brackets will help you.

*Beispiel: **1** Ich habe zwei Schwestern.*

1 I have two sisters. (*zwei Schwestern*)
2 I don't have any pets. (*keine Haustiere*)
3 Jonas has a guitar. (*eine Gitarre*)
4 When is Julie's birthday? (*Geburtstag* – remember to use *haben*!)
5 The T-shirt is green and blue.
6 We are very intelligent.
7 Are you Herr Schmidt? (*Sie*)
8 How old is Nina? (*wie alt*)
9 Does Andi have brothers or sisters? (*Geschwister*)
10 Do you have a ruler? (*ein Lineal*)

5.5 Present tense for future plans

You can talk about future plans using verbs in the present tense, as you do in English, e.g.

Ich fahre nach Spanien. *I'm going to Spain.*

There are a number of time expressions which show you when something is going to happen in the future:

in den Sommerferien	*in the summer holidays*
morgen	*tomorrow*
am Montag	*on Monday*
am Wochenende	*at the weekend*
nächste Woche	*next week*
in zwei Wochen	*in two weeks*
nächstes Jahr	*next year*

Remember, these time expressions come straight after the verb, e.g.

Ich fahre nächste Woche nach Spanien.

26 Write out these sentences with the correct time expression in German. Translate the sentences into English.

Beispiel: ***1*** *Ich fahre in zwei Wochen nach Irland. – I'm going to Ireland in two weeks.*

1 Ich fahre … nach Irland. *(in two weeks)*
2 Ich spiele … Tischtennis. *(at the weekend)*
3 Er geht … angeln. *(tomorrow)*
4 Wir kaufen … einen Hund. *(next week)*
5 Er fährt … nach Amerika. *(next year)*
6 Ich bleibe … zu Hause. *(in the summer holidays)*

27 Translate these sentences into German. The phrases in the box will help you. Remember to put the underlined time expressions after the verb in German.

Beispiel: ***1*** *Ich fahre nächste Woche nach Deutschland.*

1 I'm going to Germany next week.
2 We're playing tennis tomorrow.
3 You're going skiing next year. (*du*)
4 He's playing rugby at the weekend.
5 She's buying shoes on Friday.
6 My brother's playing football next week.

Fußball spielen
nach Deutschland fahren
Rugby spielen
Schuhe kaufen
Ski fahren
Tennis spielen

5.6 Talking about the past (war and hatte)

War means *was* and **hatte** means *had*. It's easy to turn the following phrases about the present into phrases about the past.

Present		Past
ich bin (*I am*)	–	**ich war** (*I was*)
er/sie ist (*he/she is*)	–	**er/sie war** (*he/she was*)
ich habe (*I have*)	–	**ich hatte** (*I had*)
er/sie hat (*he/she has*)	–	**er/sie hatte** (*he/she had*)

War and **hatte** are often used with time expressions which tell you when something happened:

gestern	*yesterday*
letzte Woche	*last week*
letzten Samstag	*last Saturday*
letztes Jahr	*last year*

Put the expression directly after the verb **war** or **hatte**, e.g.

Ich war letztes Jahr dreizehn Jahre alt.
I was thirteen last year.

28 Write these sentences in the past, by changing the underlined verb to **war / hatte**. Add in the time expression in brackets in the right place.

Beispiel: ***1*** *Ich war letztes Jahr zwölf Jahre alt.*

1 Ich bin zwölf Jahre alt. (letztes Jahr)
2 Sie hat Geburtstag. (letzte Woche)
3 Mein Bruder hat ein Meerschweinchen. (letztes Jahr)
4 Ich bin in Österreich. (letzte Woche)
5 Meine Schwester ist ziemlich faul. (gestern)
6 Timo ist in Berlin. (letzten Montag)

5.7 The imperative

This is the form of the verb used to give commands or instructions (for example, street directions). Remember to use the polite **Sie** form with adults (other than your family).

This is how you turn a statement into a command:

When talking to a friend, use the **du** form of the verb, but take off the final **–st** each time:

statement		imperative
du gehst	→	geh!
du nimmst		nimm!

When talking to someone you don't know, use **Sie** but put the verb first:

statement		imperative
Sie gehen	→	gehen Sie!
Sie nehmen		nehmen Sie!

29 Make these statements into commands.

*Beispiel: **1** Nimm die zweite Straße rechts!*

1 Du nimmst die zweite Straße rechts.
2 Sie nehmen die erste Straße links.
3 Du gehst geradeaus.
4 Sie gehen geradeaus und dann links.
5 Du spielst Fußball.
6 Du hörst Musik.
7 Du siehst nicht fern.
8 Du gehst ins Kino.

5.8 Modal verbs

In *Echo Express 1* you have met a group of verbs which are usually used with an infinitive (a second verb) at the end of the sentence, e.g.

Ich möchte = *I would like*, e.g.
Ich möchte ins Kino gehen.

Man kann = *one/you can*, e.g.
Man kann Wildwasser fahren.

Ich mag = *I like*, e.g.
Ich mag Ski fahren.

These particular verbs are called modal verbs and you will learn more about them later on. Here are the endings taken by these verbs when used with **ich, du** and **er / sie / es**.

können		***to be able to***
ich	**kann**	*I can*
du	**kannst**	*you can*
er / sie / es / man	**kann**	*he / she / it can*
mögen		***to like to***
ich	**mag**	*I like to*
du	**magst**	*you like to*
er / sie / es	**mag**	*he / she / it likes to*
ich	**möchte**	*I would like to*
du	**möchtest**	*you would like to*
er / sie / es	**möchte**	*he / she / it would like to*

30 Write out these sentences in the correct order.

*Beispiel: **1** Man kann ins Kino gehen.*

1 gehen / ins / kann / Kino / man
2 Tennis / spielen / man / kann
3 dem / fahren / kann / man / mit / Zug
4 Pommes frites / möchte / ich / essen
5 Cola / kann / man / trinken
6 man / kann / in / gehen / Disko / die
7 fahren / ich / mag / Mountainbike
8 mag / nicht / spielen / Teresa / Tischtennis

6 Word order

6.1 Normal word order

The normal word order in German is:

1	2	3
subject	*verb*	*rest of sentence*
Ich	**habe**	**eine Schwester.**
Der Kuli	**ist**	**rot und weiß.**

31 Put the words in the right order to make sentences.

Beispiel: ***1*** *Ich habe zwei Schwestern.*

1 habe / ich / zwei Schwestern
2 ist / fünfzehn Jahre alt / Petra
3 blonde Haare / hat / meine Mutter
4 in einem Reihenhaus / wir / wohnen
5 Geschichte / ist / mein Lieblingsfach
6 heißt / mein Hund / Wuffi
7 sehe / ich / gern / fern
8 ist / meine Adresse / Ludwigstraße 18

6.2 Verb second

In German, you don't have to use the normal word order. You can swap the sentence around, so that the subject comes after the verb, and something else comes before the verb:

	1	2	3
	Ich	**finde**	**Mathe doof!**
or:	**Mathe**	**finde**	**ich doof!**

The important thing is, the verb must be the second 'idea' in the sentence. Phrases like **in meinem Zimmer** count as one idea:

1	2	3
Ich	**habe**	**einen Computer in meinem Zimmer.**
In meinem Zimmer	**habe**	**ich einen Computer.**

32 Write these sentences another way. Begin with the words that are underlined.

Beispiel: ***1*** *<u>In meinem Zimmer</u> habe ich einen Computer.*

1 Ich habe einen Computer <u>in meinem Zimmer</u>.
2 Mein Lieblingsfach ist <u>Deutsch</u>.
3 Ich habe Geschichte <u>am Montag</u>.
4 Ich finde <u>Mathe</u> schwierig.
5 Ich trage Jeans <u>in der Schule</u>.
6 Sie hat einen Apfel <u>in ihrer Schultasche</u>.

33 Write out these sentences in the correct order. Begin with the underlined words.

Remember, the verb needs to be the second idea!

Beispiel: ***1*** *Mathe finden wir ziemlich langweilig.*

1 finden / <u>Mathe</u> / wir / ziemlich langweilig
2 esse / ich / <u>In der Pause</u> / Kekse
3 es / Fernseher / gibt / <u>In deinem Zimmer</u> / keinen
4 <u>Am Freitag</u> / Englisch und Religion / haben / wir
5 Badezimmer / es / gibt / <u>In deiner Wohnung</u> / zwei
6 <u>Deutsch</u> / findet / interessant / sehr / sie

7 Questions

There are two sorts of questions.

7.1 Questions without question words

These are questions which require the answer **ja** or **nein**. They start with the verb:

<u>Isst</u> du gern Schokolade?
Do you like to eat chocolate?

34 Turn these statements into questions.

Beispiel: ***1*** *Spielst du gern am Computer?*

1 Du spielst gern am Computer.
2 Deutsch ist ihr Lieblingsfach.
3 Sie ist dreizehn Jahre alt.
4 Er wohnt in Leipzig.
5 Man kann mit der U-Bahn fahren.
6 Kunst beginnt um elf Uhr.
7 Du isst gern Pommes.
8 Er ist groß und kräftig.

7.2 Questions with question words

These are the question words used in this book:

wie? *how?* **wann?** *when?* **wer?** *who?*
wo? *where?* **was?** *what?*

Be careful not to confuse **wo?** (*where?*) and **wer?** (*who?*).

The question word comes first, followed by the verb:

Was isst du gern? *What do you like to eat?*

35 Translate the questions into English. Then match the answers to the questions.

Beispiel: ***1*** *Who are you? b*

1 Wer bist du?
2 Wo bist du?
3 Wie bist du?
4 Wie alt bist du?
5 Was ist dein Lieblingsfach?
6 Wann hast du Geburtstag?
7 Wie ist deine Adresse?
8 Wann beginnt die Pause?

a Am neunten Juli.
b Ich bin Annas Bruder.
c Ich bin dreizehn Jahre alt.
d Ich bin freundlich, aber schüchtern.
e Ich bin in London.
f Waldstraße neunzehn.
g Sport.
h Um zehn Uhr fünfzehn.

36 Write out these questions with the correct question word from the box.

Beispiel: 1 ***Wie*** *heißt deine Schwester?*

1 … heißt deine Schwester?
2 … isst einen Apfel?
3 … alt ist Teresa?
4 … wohnt Timo?
5 … isst du in der Pause?
6 … beginnt Französisch?
7 … hat Geburtstag?
8 … ist dein Lieblingsfach?

wann was was wer wer wie wie wo

8 es gibt …

Es gibt means *there is* or *there are*:

Es gibt ein Schwimmbad.
There's a swimming pool.
Es gibt Bonbons.
There are sweets.
Es gibt keinen Supermarkt.
There isn't a supermarket.
Es gibt keine Chips.
There aren't any crisps.

The noun after **es gibt** is in the accusative case (taking **einen / eine / ein** or **keinen / keine / kein**). See section 2.4.

37 Write sentences using **es gibt.** (Look up the nouns and their genders in the **Wortschatz**, and remember to use the accusative case.)

Beispiel: ***1*** *Es gibt eine Küche.*

1 

4 

2 

5 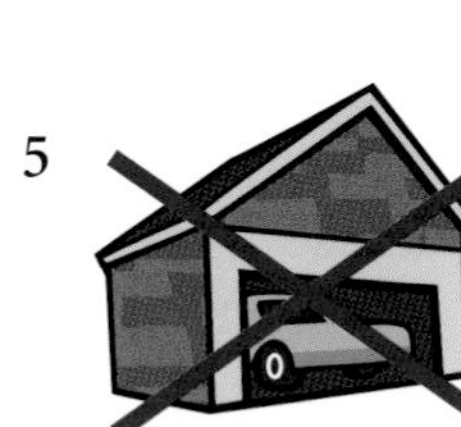

3 

6 

9 gern

To say that someone likes doing something, put **gern** after the verb:

Ich esse gern Pommes.
I like eating chips.

In questions, put **gern** after the pronoun:

Isst du gern Pizza?
Do you like eating pizza?
Was trinkst du gern?
What do you like to drink?

38 Add **gern** to sentences 1–5 and **nicht gern** to sentences 6–10. Write them out and translate them into English.

Beispiel: ***1*** *Ich trinke gern Cola.*
I like drinking cola.

1 Ich trinke Cola.
2 Wir sehen fern.
3 Ingo spielt Gitarre.
4 Chris fährt mit dem Bus.
5 Anke hört Musik.
6 Ich spiele Tischtennis.
7 Gehst du schwimmen?
8 Fährt sie Rad?
9 Gehst du in den Jugendklub?
10 Mein Freund Alex trägt Sportschuhe.

10 nicht

You can use **nicht** in German in exactly the same way that *not* is used in English:

Mein Zimmer ist nicht sehr groß.
My room is not very big.

Nicht usually comes straight after the verb.

39 Make these sentences negative by adding **nicht.** Write them out.

Beispiel: ***1*** *Wir spielen nicht gern Tennis.*

1 Wir spielen gern Tennis.
2 Man kann mit dem Bus fahren.
3 Deutsch ist mein Lieblingsfach.
4 Mein Bruder ist sehr intelligent.
5 Ich trinke gern Wasser.
6 Sie wohnt in Birmingham.
7 Ich kann Snowboard fahren.
8 Petra und Susi faulenzen gern.

11 Extras

11.1 Numbers

0	null	15	fünfzehn
1	eins	16	sechzehn
2	zwei	17	siebzehn
3	drei	18	achtzehn
4	vier	19	neunzehn
5	fünf	20	zwanzig
6	sechs	21	einundzwanzig
7	sieben	22	zweiundzwanzig
8	acht	23	dreiundzwanzig
9	neun	24	vierundzwanzig
10	zehn	25	fünfundzwanzig
11	elf	26	sechsundzwanzig
12	zwölf	27	siebenundzwanzig
13	dreizehn	28	achtundzwanzig
14	vierzehn	29	neunundzwanzig
30	dreißig	70	siebzig
40	vierzig	80	achtzig
50	fünfzig	90	neunzig
60	sechzig	100	hundert

11.2 Days

These are the days of the week in German:

Montag
Dienstag
Mittwoch
Donnerstag
Freitag
Samstag
Sonntag

To say *on* a day, use **am**:

Am Donnerstag habe ich Mathe.
On Thursday(s) I have maths.

11.3 Dates

You give dates like this:

Mein Geburtstag ist am zweiten Januar.
My birthday is on the second of January.

The date is made by putting **am** before the number and -(s)**ten** on the end of it. A few dates (shown in bold) are irregular:

1	am **ersten**	12	am zwölften
2	am zweiten	13	am dreizehnten
3	am **dritten**	14	am vierzehnten
4	am vierten	15	am fünfzehnten
5	am fünften	16	am sechzehnten
6	am sechsten	17	am siebzehnten
7	am **siebten**	18	am achtzehnten
8	am achten	19	am neunzehnten
9	am neunten	20	am zwanzigsten
10	am zehnten	21	am einundzwanzigsten
11	am elften	30	am dreißigsten

Here are the months:

Januar	Mai	September
Februar	Juni	Oktober
März	Juli	November
April	August	Dezember

40 Write out these dates.

Beispiel: ***1*** *am zehnten September*

1	10.9.	6	3.11.
2	1.12.	7	15.3.
3	23.4.	8	29.10.
4	8.5.	9	4.6.
5	19.2.	10	21.7.

11.4 Times

Don't forget to say **Uhr** (*o'clock*) when giving times in German:

Es ist acht Uhr. *It's eight o'clock.*
Um zehn Uhr dreißig. *At ten thirty.*

41 Write these times in German.

Beispiel: ***1*** *Es ist sieben Uhr zehn.*

1 It's ten past seven.
2 It's nine o'clock.
3 At eleven fifty.
4 At one fifteen.
5 It's two twenty-three.
6 At four fifty-five.
7 At eight oh five.
8 It's three thirty-nine.
9 At twenty past nine.
10 It's twelve oh six.

11.5 Adverbs of frequency

These say how often something happens. They can be a single word or a phrase.

immer	*always*
oft	*often*
manchmal	*sometimes*
selten	*rarely*
nie	*never*
einmal (pro Tag / Woche / Monat / Jahr)	*once (a day / week / month / year)*
zweimal	*twice*
dreimal	*three times*
etc.	
jeden Tag	*every day*
jede Woche	*every week*
jeden Monat	*every month*
jedes Jahr	*every year*

Wortschatz Englisch – Deutsch

A

a	ein
about, above	über
above	oben
address	die Adresse(n)
address book	das Adressbuch(¨er)
adventure	das Abenteuer(-)
after	nach
age	das Alter(-)
all	alle(s)
alone	allein
already	schon
also	auch
always	immer
art	die Kunst
Austria	Österreich
awful	furchtbar

B

back	zurück
bad	schlecht
ballpoint pen	der Kuli(-s)
bathroom	das Badezimmer(-)
to be	sein
to be able to	können
to be called	heißen
beach	der Strand(¨e)
beautiful	schön
bed	das Bett(-en)
bedroom	das Schlafzimmer(-)
before, in front of	vor
to begin	beginnen
behind	hinter
below, under	unter
between	zwischen
bicycle	das Rad(¨er)
big, large	groß
birthday	der Geburtstag(-e)
biscuit	der Keks(-e)
black	schwarz
blond	blond
blue	blau
boring	langweilig
break	die Pause(-n)
bright, light	hell
brother	der Bruder(¨)
brothers and sisters	die Geschwister (*pl*)
brown	braun
budgerigar	der Wellensittich(-e)
bungalow	der Bungalow(-s)
bus	der Bus(-se)
but	aber
to buy	kaufen
bye	tschüs

C

cake	der Kuchen(-)
calculator	der Taschenrechner(-)
camera	die Kamera(-s)
car	das Auto(-s)
to carry, wear	tragen
castle	das Schloss(¨er)
cat	die Katze(-n)
cellar	der Keller(-)
chair	der Stuhl(¨e)
chips	die Pommes (*pl*)
chocolate	die Schokolade
cinema	das Kino(-s)
city	die Stadt(¨e)
class	die Klasse(-n)
to climb	klettern
clock, watch	die Uhr(-en)
coast	die Küste(-n)
coffee	der Kaffee(-)
cola	die Cola(-s)
colour	die Farbe(-n)
colourful	bunt
to come	kommen
comfortable	bequem
completely, whole	ganz
computer	der Computer(-)
computer game	das Computerspiel(-e)
concert	das Konzert(-e)
to cook	kochen
to cost	kosten
country	das Land(¨er)
cousin (boy)	der Cousin(-s)
cousin (girl)	die Cousine(-n)
crisps	die Chips (*pl*)
curly	lockig
to go cycling	Rad fahren

D

to dance	tanzen
dark	dunkel
Dear (in a letter)	Liebe(r)
to describe	beschreiben
detached house	das Einfamilienhaus(¨er)
dictionary	das Wörterbuch(¨er)
friend	der Freund
difficult, tricky	schwierig
disco	die Disko(-s)
disk	die Diskette(-n)
dog	der Hund(-e)
to drink	trinken
to drive	fahren

E

East	der Osten
to eat	essen
every	jede
excuse me	Entschuldigung
exercise book	das Heft(-e)
eye	das Auge(-n)

F

family	die Familie(-n)
famous	berühmt
fast	schnell
fat	dick
father	der Vater(¨)
favourite	Lieblings-
to find	finden
flat	die Wohnung(-en)
football	der Fußball(¨e)
football team	die Fußballmannschaft(-en)
for	für
France	Frankreich
free time	die Freizeit

French	Französisch
friendly	freundlich
from, of	von
funny	lustig

G

garage	die Garage(-n)
garden	der Garten(¨)
German	Deutsch
Germany	Deutschland
glue stick	der Klebstift(-e)
to go	gehen
good	gut
goodbye	auf Wiedersehen
great	toll
green	grün
guinea pig	das Meerschweinchen(-)
guitar	die Gitarre(-n)

H

hair	die Haare (*pl*)
hamster	der Hamster(-)
to have	haben
hello	guten Tag
here	hier
hi-fi	die Stereoanlage(-n)
hobby	das Hobby(-s)
horse	das Pferd(-e)
to go horse riding	reiten
how	wie

I

ice cream	das Eis
idea	die Idee(-n)
in	in
interesting	interessant

J

jeans	die Jeans (*pl*)

K

kitchen	die Küche(-n)
to know	wissen

L

lamp	die Lampe(-n)
late	spät
lazy	faul
to learn	lernen
left	links
lemon	die Zitrone(-n)
lemonade	die Limo(nade)
letter	der Brief(-e)
to live	wohnen
living room	das Wohnzimmer(-)
long	lang
to look for	suchen
loud	laut

M

magazine	das Magazin(-e)
to make	machen
many	viele
maths	Mathe(matik)
mayonnaise	die Mayonnaise
to meet	treffen
milk	die Milch
minute	die Minute(-n)
moody	launisch
more	mehr
mother	die Mutter(¨)
mountain	der Berg(-e)
mouse	die Maus(¨e)
much	viel
museum	das Museum (Museen)
music	die Musik
my	mein

N

name	der Name(-n)
to name	nennen
nationality	die Nationalität(-en)
naturally	natürlich
nature	die Natur
to need	brauchen
never	nie
new	neu
next to	neben
nice	nett
no	nein
North	der Norden
not	nicht
not a	kein
nothing	nichts
now	jetzt

O

often	oft
old	alt
on	auf, an
opinion	die Meinung(-en)
orange	orange
orange juice	der Orangensaft
or	oder
other	andere
otherwise	sonst
out	aus
outside	im Freien
own	eigen

P

page	die Seite(-n)
pair	das Paar(-e)
paragraph	der Absatz(¨e)
party	die Party(-s)
pencil	der Bleistift(-e)
pencil case	das Etui(-s)
penfriend	der Brieffreund(-e) / die Brieffreundin(-nen)
people	die Leute (*pl*)
personality	die Persönlichkeit(-en)
pet	das Haustier(-e)
picture	das Bild(-er)
pizza	die Pizza(-s)
to play	spielen
please	bitte
post office	die Post
poster	das Poster(-)

Wortschatz Englisch – Deutsch

problem	das Problem(-e)
pullover	der Pulli(-s)
purple	lila
Q	
quick	schnell
quiz	das Quiz(-)
R	
radio	das Radio(-s)
railway station	der Bahnhof(¨-e)
rat	die Ratte(-n)
rather	ziemlich
to read	lesen
red	rot
restaurant	das Restaurant(-s)
right (correct)	richtig
right (direction)	rechts
room	das Zimmer(-)
ruler	das Lineal(-e)
S	
sandwich	das Pausenbrot(-e)
to say	sagen
school	die Schule(-n)
school bag	die Schultasche(-n)
school uniform	dieSchuluniform(-en)
science	die Naturwissenschaften (*pl*)
scissors	die Schere(-n)
Scotland	Schottland
to see	sehen
shirt	das Hemd(-en)
short	kurz
shy	schüchtern
simple	einfach
to sing	singen
sister	die Schwester(-n)
size	die Größe(-n)
skirt	der Rock(¨-e)
to sleep	schlafen
slim	schlank
slow	langsam
small	klein
smart	schick
smooth	glatt
someone	jemand
something	etwas
soon	bald
South	der Süden
to speak	sprechen
sport	der Sport
step-brother	der Stiefbruder(¨)
step-sister	die Stiefschwester(-n)
still	noch
straight (hair)	glatt
straight on	geradeaus
strange	seltsam
street	die Straße(-n)
strict	streng
stupid	doof
subject	das Fach(¨-er)
summer holidays	die Sommerferien (*pl*)
supermarket	der Supermarkt(¨-e)
to swim	schwimmen
swimming pool	das Schwimmbad(¨-er)

T	
to take	nehmen
tea	der Tee
telephone number	die Telefonnummer(-n)
tennis	das Tennis
tennis court	der Tennisplatz(¨-e)
text	der Text(-e)
thank you	danke schön
theatre	das Theater(-)
then	dann
there	dort
there is/are	es gibt
these	diese
ticket	die Karte(-n)
tidy	ordentlich
tie	die Krawatte(-n)
time	die Zeit(-en)
timetable	der Stundenplan(¨-e)
today	heute
together	zusammen
toilet	die Toilette(-n)
tourist information office	das Verkehrsamt(¨-er)
town, city	die Stadt(¨-e)
town hall	das Rathaus(¨-er)
train	der Zug(¨-e)
tram	die Straßenbahn(-en)
(pair of) trousers	die Hose(-n)
T-shirt	das T-Shirt(-s)
U	
ugly	hässlich
uncle	der Onkel(-)
underground	die U-Bahn(-en)
unfriendly	unfreundlich
uniform	die Uniform(-en)
V	
very	sehr
video	das Video(-s)
village	das Dorf(¨-er)
W	
wardrobe	der Kleiderschrank(¨-e)
watch	die Uhr(-en)
to wear	tragen
weekend	das Wochenende(-n)
welcome	willkommen
West	der Westen
what	was
when	wann
where	wo
which	welcher / welche / welches
who	wer
whose	wessen
with	mit
wrong	falsch
Y	
year	das Jahr(-e)
yellow	gelb
yes	ja
your	dein
youth club	der Jugendklub(-s)

Wortschatz Deutsch – Englisch

A

	ab	*from*
das	Abenteuer(-)	*adventure*
	aber	*but*
der	Absatz(¨-e)	*paragraph*
	ach	*oh*
das	Adjektiv(-e)	*adjective*
das	Adressbuch(¨-er)	*address book*
die	Adresse(-n)	*address*
der	Affe(-n)	*monkey*
	allein	*alone*
	alles	*all, everything*
	alt	*old*
das	Alter(-)	*age*
	an	*on*
	andere	*other*
	anders	*different*
	angeln	*to fish*
	anhalten	*to stop*
	sich ansehen	*to watch (a film)*
die	Antwort(-en)	*answer*
der	Apfel(¨-)	*apple*
	April	*April*
	arbeiten	*to work*
	auch	*also*
	auf	*on*
	auf der linken Seite	*on the left-hand side*
	auf der rechten Seite	*on the right-hand side*
	aufnehmen	*to record*
	aufschreiben	*to write down*
	auf Wiedersehen	*goodbye*
das	Auge(-n)	*eye*
	August	*August*
	aus	*out*
	aussetzen	*to miss a turn*
die	Aussprache	*pronunciation*
	auswendig lernen	*to learn by heart*
das	Auto(-s)	*car*

B

das	Badezimmer(-)	*bathroom*
der	Bahnhof(¨-e)	*railway station*
	bald	*soon*
der	Balkon	*balcony*
die	Banane(-n)	*banana*
der	Bart(¨-e)	*beard*
der	Basketball	*basketball*
	Bayern	*Bavaria*
	beginnen	*to begin*
das	Beispiel(-e)	*example*
	bekannt für	*known for*
	bequem	*comfortable*
der	Berg(-e)	*mountain*
	berühmt	*famous*
	beschreiben	*to describe*
	bestimmt	*certainly*
	besuchen	*to visit*
das	Bett(-en)	*bed*
das	Bier	*beer*
das	Bierfest(-e)	*beer festival*
das	Bild(-er)	*picture*
	bitte	*please*
	blau	*blue*
	bleiben	*to stay*
der	Bleistift(-e)	*pencil*
	es blitzt	*there is lightning*
	blond	*blond*
die	Bluse(-n)	*blouse*
der	Boden(¨-)	*floor*
das	Bonbon(-s)	*(a) sweet*
	böse	*bad, angry*
	brauchen	*to need*
	braun	*brown*
der	Brief(-e)	*letter*
der	Brieffreund(-e)	*penfriend (boy)*
die	Brieffreundin(-nen)	*penfriend (girl)*
	bringen	*to bring*
das	Brötchen(-)	*bread roll*
der	Bruder(¨-)	*brother*
das	Buch(¨-er)	*book*
der	Buchstabe(-n)	*letter (in alphabet)*
der	Bungalow(-s)	*bungalow*
	bunt	*colourful*
der	Bus(-se)	*bus*

C

die	Chips (*pl*)	*crisps*
die	Cola	*cola*
der	Computer(-)	*computer*
das	Computerspiel(-e)	*computer game*
der	Cousin(-s)	*cousin (boy)*
die	Cousine(-n)	*cousin (girl)*

D

der	Dachboden(¨-)	*attic*
	danke schön	*thank you*
	dann	*then*
	das	*the (neuter)*
	dein	*your*
	der	*the (masculine)*
der	Detektiv(-e)	*detective*
	Deutsch	*German*
	Deutschland	*Germany*
	Dezember	*December*
	dick	*fat*
	die	*the (feminine)*
	die	*the (plural)*
der	Dieb(-e)	*thief*
	Dienstag	*Tuesday*
	diese	*these*
	dieser / diese / dieses	*this*
die	Diskette(-n)	*disk*
die	Disko(-s)	*disco*
	donnern	*to thunder*
	Donnerstag	*Thursday*
	doof	*stupid*
das	Doppelhaus(¨-er)	*pair of semi-detached houses*
das	Dorf(¨-er)	*village*
	dort	*there*
	dunkel	*dark*

E

	eigen	*own*
	ein	*a (masc, neuter)*
	eine	*a (feminine)*
	einfach	*simple*
das	Einfamilienhaus(¨-er)	*detached house*
	einpacken	*to wrap*
das	Einzelkind(-er)	*only child*
das	Eis	*ice cream*
die	E-Mail(-s)	*email*

Wortschatz Deutsch – English

Deutsch	English
enden	*to end*
endlich	*finally*
Entschuldigung	*excuse me*
das Erdgeschoss	*basement*
Erdkunde	*geography*
erkennen	*to recognise*
es blitzt	*there is lightning*
es donnert	*there is thunder*
es gibt	*there is / are*
essen	*to eat*
das Esszimmer(-)	*dining room*
das Etui(-s)	*pencil case*
etwas	*something*
der Euro(-s)	*euro*

F

Deutsch	English
das Fach(¨er)	*subject*
fahren	*to drive*
falsch	*wrong*
die Familie(-n)	*family*
die Farbe(-n)	*colour*
fast	*almost*
faul	*lazy*
faulenzen	*to laze about*
Februar	*February*
der Federball	*badminton*
der Fehler(-)	*mistake*
das Feld(-er)	*field*
die Ferienwohnung(-en)	*holiday apartment*
fernsehen	*to watch television*
der Film(-e)	*film*
der Filzstift(-e)	*felt pen*
finden	*to find*
das Flugzeug(-e)	*aeroplane*
das Foto(-s)	*photograph*
das Fotoalbum(-alben)	*photo album*
die Frage(-n)	*question*
Frankreich	*France*
Französisch	*French*
die Frau(-en)	*woman*
frei	*free*
das Freibad	*outdoor swimming pool*
Freitag	*Friday*
die Freizeit	*free time*
fressen	*to eat (for animals)*
der Freund(-e)	*friend (boy)*
die Freundin(-nen)	*friend (girl)*
freundlich	*friendly*
frostig	*frosty*
der Frühling	*spring*
für	*for*
furchtbar	*awful*
der Fußball(¨e)	*football*
die Fußballmannschaft(-en)	*football team*

G

Deutsch	English
ganz	*completely, whole*
die Garage(-n)	*garage*
der Garten(¨)	*garden*
das Gästezimmer(-)	*guest room*
gebraucht	*used*
der Geburtstag(-e)	*birthday*
das Gedächtnisspiel(-e)	*memory game*
gehen	*to go*
gelb	*yellow*
das Geld	*money*
geradeaus	*straight on*
gern	*like*
das Geschenk(-e)	*present*
Geschichte	*history*
die Geschwister (*pl*)	*brothers and sisters*
gesund	*healthy*
gewinnen	*to win*
die Giraffe(-n)	*giraffe*
die Gitarre(-n)	*guitar*
glatt	*smooth, straight (hair)*
gleich	*immediately*
der Goldfisch(-e)	*goldfish*
grau	*grey*
groß	*big, large*
die Größe(-n)	*size*
die Großmutter(¨)	*grandmother*
die Großstadt(¨e)	*large city*
der Großvater(¨)	*grandfather*
grün	*green*
die Gruppe(-n)	*group*
der Gruß(¨e)	*regards, greeting*
grüß dich	*hi*
gut	*good*
guten Tag	*hello*

H

Deutsch	English
die Haare (*pl*)	*hair*
haben	*to have*
der Halbbruder(¨)	*half-brother*
die Halbschwester(-n)	*half-sister*
das Hallenbad	*indoor swimming pool*
hallo	*hello*
der Hamburger(-)	*hamburger*
der Hamster(-)	*hamster*
das Handy(-s)	*mobile phone*
hässlich	*ugly*
die Hauptstadt(¨e)	*capital city*
das Haus(¨er)	*house*
das Haustier(-e)	*pet*
das Heft(-e)	*exercise book*
heiß	*hot*
heißen	*to be called*
helfen	*to help*
hell	*bright, light*
das Hemd(-en)	*shirt*
der Herbst	*autumn*
der Herr(-en)	*Mr*
heute	*today*
hier	*here*
hinter	*behind*
das Hobby(-s)	*hobby*
hoffentlich	*hopefully*
die Hose(-n)	*(pair of) trousers*
der Hund(-e)	*dog*

I

Deutsch	English
die Idee(-n)	*idea*
im	*in the*
im Freien	*outside*
im Norden	*in the North*
die Imbissbude(-n)	*snack bar*
immer	*always*
immer noch	*still*
die Info(-s)	*information*

Wortschatz

	Informatik	*IT*
	intelligent	*intelligent*
	interessant	*interesting*
	international	*international*
das	Interview(-s)	*interview*
	Irland	*Ireland*

J

	ja	*yes*
die	Jacke(-n)	*jacket*
das	Jahr(-e)	*year*
	Januar	*January*
die	Jeans (*pl*)	*jeans*
	jeder / jede / jedes	*each, every*
	jemand	*someone*
	jetzt	*now*
der	Joghurt(-)	*yoghurt*
der	Jugendklub(-s)	*youth club*
	Juli	*July*
	Juni	*June*

K

der	Kaffee(-s)	*coffee*
	kalt	*cold*
die	Kamera(-s)	*camera*
das	Kaninchen(-)	*rabbit*
das	Kanu(-s)	*canoe*
	Kanu fahren	*to go canoeing*
die	Kappe(-n)	*cap*
die	Karte(-n)	*ticket*
die	Katze(-n)	*cat*
	kaufen	*to buy*
	kein	*not a, no*
der	Keks(-e)	*biscuit*
der	Keller(-)	*cellar*
der	Ketchup	*tomato ketchup*
das	Kino(-s)	*cinema*
die	Klamotten	*clothes*
	klasse	*great*
die	Klasse(-n)	*class*
die	Klassenumfrage(-n)	*class survey*
der	Klebstift(-e)	*glue stick*
der	Kleiderschrank(¨-e)	*wardrobe*
	klein	*small*
	klettern	*to climb*
	klicken	*to click*
	kochen	*to cook*
	komm 'rein	*come in*
	kommen	*to come*
die	Kommode(-n)	*chest of drawers*
	können	*to be able to*
das	Konzert(-e)	*concert*
	korrigieren	*to correct*
	kosten	*to cost*
die	Krawatte(-n)	*tie*
	kreativ	*creative*
die	Küche(-n)	*kitchen*
der	Kuchen(-)	*cake*
der	Kuli(-s)	*ballpoint pen*
	Kunst	*art*
	kurz	*short*
die	Küste(-n)	*coast*

L

die	Lampe(-n)	*lamp*
das	Land(¨-er)	*country*
	lang	*long*
	langsam	*slow*
	langweilig	*boring*
	launisch	*moody*
	laut	*loud*
	lecker	*tasty*
der	Lehrer(-)	*teacher (male)*
die	Lehrerin(-nen)	*teacher (female)*
	leider	*unfortunately*
	lernen	*to learn, study*
	lesen	*to read*
die	Leute (*pl*)	*people*
	Liebe(r)	*Dear (in a letter)*
	Lieblings-	*favourite*
	liegen	*to lie*
	lila	*purple*
die	Limo(nade)	*lemonade*
das	Lineal(-e)	*ruler*
	links	*left*
die	Liste(-n)	*list*
	lockig	*curly*
	lösen	*to solve*
die	Lücke(-n)	*gap*
	lustig	*funny*

M

	machen	*to make, to do*
das	Mädchen(-)	*girl*
	Magazin(-e)	*magazine*
	Mai	*May*
	manchmal	*sometimes*
	man kann	*one / you can*
der	Marktplatz(¨-e)	*market place*
	März	*March*
	Mathe(matik)	*maths*
die	Maus(¨-e)	*mouse*
die	Mayonnaise	*mayonnaise*
das	Meerschweinchen(-)	*guinea pig*
	mehr	*more*
	mein	*my*
die	Meinung(-en)	*opinion*
	mich	*me*
die	Milch	*milk*
das	Mineralwasser	*mineral water*
die	Minute(-n)	*minute*
	mit	*with*
	mitsingen	*to sing along*
	mittelgroß	*medium sized*
	Mittwoch	*Wednesday*
	möchte (*from* mögen)	*would like*
	mögen	*to like*
	Montag	*Monday*
das	Museum (Museen)	*museum*
die	Musik	*music*
	musikalisch	*musical*
die	Mutter(¨-)	*mother*

N

	nach	*after*
	nächster / nächste / nächstes	*next*
der	Name(-n)	*name*
die	Nationalität(-en)	*nationality*
die	Natur	*nature*
	natürlich	*naturally*
die	Naturwissenschaften (*pl*)	*science*

Wortschatz Deutsch – English

neben	*next to*
nebelig	*foggy*
nehmen	*to take*
nein	*no*
nennen	*to name*
nett	*nice*
neu	*new*
nicht	*not*
nichts	*nothing*
nie	*never*
noch	*still*
noch (ein)mal	*once again*
der Norden	*North*
notieren	*to note down*
die Notizen (*pl*)	*notes*
November	*November*
null	*zero*
die Nummer(-n)	*number*
nur	*only*

O

oben	*above*
oder	*or*
oft	*often*
Oktober	*October*
die Oma(-s)	*grandma*
der Onkel(-)	*uncle*
der Opa(-s)	*granddad*
orange	*orange*
der Orangensaft	*orange juice*
ordentlich	*tidy*
ordnen	*to sort*
der Osten	*East*
Österreich	*Austria*

P

das Paar(-e)	*pair*
der Partner(-)	*partner (boy)*
die Partnerarbeit	*pair work*
die Partnerin(-nen)	*partner (girl)*
die Party(-s)	*party*
die Pause(-n)	*break*
das Pausenbrot(-e)	*sandwich(es)*
die Person(-en)	*person*
die Persönlichkeit(-en)	*personality*
das Pferd(-e)	*horse*
die Pizza(-s)	*pizza*
der Plan(¨e)	*plan*
die Pommes (*pl*)	*chips*
die Post	*post office*
das Poster(-)	*poster*
praktisch	*practical, convenient*
das Problem(-e)	*problem*
prima	*great*
der Pulli(-s)	*pullover*

Q

das Quiz(-)	*quiz*

R

das Rad(¨er)	*bicycle*
Rad fahren	*to cycle*
das Radfahren	*cycling*
das Radio(-s)	*radio*
das Rathaus(¨er)	*town hall*
die Ratte(-n)	*rat*
die Realität	*reality*
rechts	*right (direction)*
das Regal(-e)	*shelves*
regnen	*to rain*
die Reihenfolge(-n)	*sequence, order*
das Reihenhaus(¨er)	*terraced house*
'reinkommen	*to come in*
reiten	*to go horse riding*
Religion	*RE*
das Restaurant(-s)	*restaurant*
richtig	*correct*
der Rock(¨e)	*skirt*
die Rockmusik	*rock music*
rot	*red*
Ruhe!	*Quiet!*

S

die Sachen (*pl*)	*things*
sagen	*to say*
Samstag	*Saturday*
schade	*a shame*
der Schal(-s)	*scarf*
der Schaschlik(-s)	*kebab*
die Schere(-n)	*(pair of) scissors*
schick	*smart*
die Schildkröte(-n)	*tortoise*
schlafen	*to sleep*
das Schlafzimmer(-)	*bedroom*
die Schlange(-n)	*snake*
schlank	*slim*
schlecht	*bad*
das Schloss(¨er)	*castle*
schmecken	*to taste (nice)*
schneien	*to snow*
schnell	*quick, fast*
die Schokolade	*chocolate*
schon	*already*
schön	*beautiful*
Schottland	*Scotland*
schreiben	*to write*
der Schreibtisch(-e)	*desk*
schüchtern	*shy*
die Schuhe (*pl*)	*shoes*
die Schule(-n)	*school*
das Schul-Restaurant(-s)	*school restaurant*
die Schultasche(-n)	*school bag*
die Schuluniform(-en)	*school uniform*
schwarz	*black*
die Schweiz	*Switzerland*
die Schwester(-n)	*sister*
schwierig	*difficult, tricky*
das Schwimmbad(¨er)	*public swimming baths*
schwimmen	*to swim*
das Segeln	*sailing*
sehen	*to see*
sehr	*very*
sein (*adjective*)	*his*
sein (*verb*)	*to be*
die Seite(-n)	*page*
seltsam	*strange*
der Senf	*mustard*
September	*September*
setzen	*to put*
singen	*to sing*

Wortschatz

	Ski fahren	*to ski*
die	Skimeisterin(-nen)	*ski champion (female)*
das	Snowboard(-s)	*snowboard*
	Snowboard fahren	*to snowboard*
die	Socken (*pl*)	*socks*
das	Sofa(-s)	*sofa*
die	Sommerferien (*pl*)	*summer holidays*
die	Sonne	*sun*
	Sonntag	*Sunday*
	sonnig	*sunny*
	sonst	*otherwise*
die	Spaghetti (*pl*)	*spaghetti*
	Spanien	*Spain*
	Spaßmachen	*to be fun*
	spät	*late*
der	Spiegel(-)	*mirror*
	spielen	*to play*
	spitze	*great*
	Sport	*sport*
die	Sportart(-en)	*type of sport*
die	Sporthalle(-n)	*sports hall*
der	Sportler(-)	*sports person (male)*
die	Sportlerin(-nen)	*sports person (female)*
	sportlich	*sporty*
die	Sportschuhe (*pl*)	*trainers*
das	Sportzentrum(-zentren)	*sports centre*
	sprechen	*to speak*
das	Stadion (Stadien)	*stadium*
die	Stadt(¨e)	*town, city*
der	Stammbaum(¨e)	*family tree*
der	Steckbrief(-e)	*personal profile*
	stehen	*to stand*
der	Stein(-e)	*stone*
	stellen	*to put*
die	Stereoanlage(-n)	*hi-fi*
der	Stiefbruder(¨)	*step-brother*
der	Stiefel(-)	*boot*
die	Stiefmutter(¨)	*step-mother*
die	Stiefschwester(-n)	*step-sister*
der	Stiefvater(¨)	*step-father*
der	Strand(¨e)	*beach*
die	Straße(-n)	*street*
die	Straßenbahn(-en)	*tram*
	streng	*strict*
der	Stuhl(¨e)	*chair*
der	Stundenplan(¨e)	*timetable*
die	Suche	*search*
	suchen	*to look for*
der	Süden	*South*
	super	*super*
der	Supermarkt(¨e)	*supermarket*
das	Sweatshirt(-s)	*sweatshirt*
T		
die	Tabelle(-n)	*table*
	tanzen	*to dance*
der	Taschenrechner(-)	*calculator*
das	Taxi(-s)	*taxi*
der	Tee	*tea*
die	Telefonnummer(-n)	*telephone number*
das	Tennis	*tennis*
der	Tennisplatz(¨e)	*tennis court*
	testen	*to test*
der	Text(-e)	*text*
das	Theater(-)	*theatre*
der	Tipp(-s)	*tip*
der	Tisch(-e)	*table*
das	Tischtennis	*table tennis*
die	Toilette(-n)	*toilet*
	toll	*great*
der	Tourist(-en)	*tourist (male)*
die	Touristin(-nen)	*tourist (female)*
	tragen	*to carry, wear*
	Traum-	*dream*
	treffen	*to meet*
	trinken	*to drink*
	tschüs	*bye*
das	T-Shirt(-s)	*T-shirt*
U		
die	U-Bahn(-en)	*underground*
	üben	*to practise*
	über	*above, about*
	übernachten	*to stay the night*
	überprüfen	*to check*
die	Uhr(-en)	*clock, watch*
	um	*at*
die	Umfrage(-n)	*survey*
	unfreundlich	*unfriendly*
die	Uniform(-en)	*uniform*
	ungefähr	*about*
	ungesund	*unhealthy*
	unordentlich	*untidy*
	unpünktlich	*not on time*
	unter	*below, under*
der	Untertitel(-)	*subtitle*
V		
der	Vater(¨)	*father*
	Vati	*Dad*
das	Verkehrsamt(¨er)	*tourist information office*
	verstehen	*to understand*
das	Video(-s)	*video*
	viel	*much*
	viele	*many*
der	Volleyball	*volleyball*
	von	*from, of, by*
	vor	*before, in front of*
	vorher	*before*
der	Vortrag(¨e)	*presentation*
W		
	Wales	*Wales*
	wandern	*to hike*
	wann	*when*
	warm	*warm*
	warten	*to wait*
	was	*what*
das	Wasser	*water*
der	Wassersport	*water sports*
die	Webseite(-n)	*webpage*
	weg	*gone*
	weiß	*white*
	weiter	*further*
	welcher / welche / welches	*which*
der	Wellensittich(-e)	*budgerigar*
	wer	*who*
	Werken	*design and technology*
die	Wespe(-n)	*wasp*

Wortschatz Deutsch – English

wessen	*whose*
der Westen	*West*
das Wetter	*weather*
wie	*how*
Wie bitte?	*Pardon?*
Wie geht's?	*How are you?*
wie viele	*how many*
willkommen	*welcome*
windig	*windy*
windsurfen	*to windsurf*
der Wintersport	*winter sports*
wissen	*to know*
wo	*where*
die Woche(-n)	*week*
das Wochenende(-n)	*weekend*
wohnen	*to live*
der Wohnort(-e)	*residence*
die Wohnung(-en)	*flat*
das Wohnzimmer(-)	*living room*
wolkig	*cloudy*
das Wort(¨er)	*word*
das Wörterbuch(¨er)	*dictionary*

X

das Xylophon(-e)	*xylophone*

Y

die Yacht(-en)	*yacht*

Z

die Zahl(-en)	*number*
zählen	*to count*
die Zeit(-en)	*time, tense*
ziemlich	*rather*
das Zimmer(-)	*room*
die Zitrone(-n)	*lemon*
der Zoo(-s)	*zoo*
zu	*to, too, closed*
zu Hause	*at home*
der Zug(¨e)	*train*
zurück	*back*
zusammen	*together*
zwischen	*between*

Wortschatz

Anweisungen

Anweisung.	*Instruction.*
Aufgabe.	*Exercise.*
Beantworte die Fragen.	*Answer the questions.*
Beispiel.	*Example.*
Beschreib.	*Describe.*
Ergänze die Fragen / Sätze / Tabelle.	*Complete the questions / sentences / table.*
Finde.	*Find.*
Füll die Lücken aus.	*Fill in the blanks.*
Gruppenarbeit.	*Group work.*
Hör zu und lies.	*Listen and read.*
Hör (noch mal) zu und wiederhole.	*Listen (again) and repeat.*
Hör zu und sing mit.	*Listen and sing along.*
Kopiere die Tabelle und füll sie aus.	*Copy the table and fill it out.*
Korrigiere deine Sätze.	*Correct your sentences.*
Lies den Brief / Text.	*Read the letter / text.*
Mach Dialoge.	*Make up dialogues.*
Mach ein Interview.	*Do an interview.*
Mach Listen / Notizen.	*Make lists / notes.*
Notiere.	*Note down.*
Ordne.	*Put in order.*
Partnerarbeit.	*Pair work.*
Rate mal!	*Guess!*
Richtig oder falsch?	*True or false?*
Richtig, falsch oder nicht im Text?	*True, false or not in the text?*
Schau ins Glossar.	*Look in the glossary.*
Schreib die Tabelle ab.	*Copy the table.*
Schreib Sätze.	*Write sentences.*
Sieh dir ... an.	*Look at ...*
So spricht man ... aus.	*How to pronounce ...*
Teste deinen Partner / deine Partnerin.	*Test your partner.*
Üb deinen Vortrag.	*Practise your presentation.*
Überprüfe es.	*Check.*
Wähl die richtige Antwort aus.	*Choose the correct answer.*
Was ist das?	*What is it?*
Was passt zusammen?	*What goes together?*
Wie heißt das auf Englisch?	*How do you say that in English?*
Wie spricht man das auf Deutsch aus?	*How do you pronounce that in German?*
Zeichne.	*Draw.*